超級導覽員
趣說
博物館2

河森堡 著

推薦序

一場跨越國界的超級導覽

文／游冉琪（人文遠雄博物館館長）

一般人對於博物館既有的印象不外乎「是一個把一些看起來很重要的東西，比如標本、古瓷器及古畫等，放在展櫃裡供民眾參觀的地方。」

其實博物館不只如此，所有博物館中的文物都有一段豐厚精彩的歷程，每件文物除了實體顯現之外還蘊含滿滿的能量，若能透過導覽加以引介與說明，將彷彿墜入時光隧道般走進它的時光故事。

以世界上參觀人數最多的幾座博物館來說，如巴黎的羅浮宮、臺灣的故宮，主要能夠一見傳說中的明星文物，例如《蒙娜麗莎》和《翠玉白菜》，有種瞻仰明星、一睹為快的心態；另一類博物館沒有這類明星文物，而是透過建築來吸引人，像是語彙轉譯或是建築師風格的建築，例如紐約及畢爾包的古根漢美術館；再者是歷史遺址如北京故宮、奧斯威辛集中營紀念納粹大屠殺國家博物館；也有的以宛如走進歷史的情境展示和場景氛圍做為吸引力，例如香港歷史博物館及日本的江戶東京博物館等。

各式各樣的博物館，透過親眼目睹、見證並親身參與，為的就是那親臨現場的體驗，在心中書寫屬於自己的博物館故事。

《超級導覽員趣說博物館》這套書讓博物館的故事更為吸引人，每個篇章不只介紹博物館展示的文物，而是深入描述該館的歷史和其內涵，再帶讀者窺見文物的祕密。

介紹大英博物館時，也介紹木乃伊傳說；介紹中國國家博物館時，提及青銅器「四羊方尊」在長沙抗戰時被日機擊毀後，一度深鎖在銀行倉庫內，經由修復才重現世人眼前；介紹法國羅浮宮的鎮館三寶《蒙娜麗莎》、《斷臂維納斯》和《勝利女神》，道出其身世祕密。可以說是博物館的故事大全，也是經典文物典故集，內容豐富精彩，不愧為「超級導覽」。

此外，本書匯聚了世界各主要博物館和其代表性文物，可以說是一場史無前例的紙上策展。也許我們一生無法走完世界的博物館，也無法看遍每一座博物館的文物，但透過這本書，我們能夠掌握世界重要博物館的經典文物，更可從中一窺這些文物的貼身故事。

想成為博物館超級達人，《超級導覽員趣說博物館》套書絕對是絕佳寶典！

Contents

目次

CHAPTER 1

神祕的西方文明：
雅典國家考古博物館

在雅典國家考古博物館裡能看到從西元前六千年一直到古羅馬時代的大量古希臘文物，其中給人印象最深刻的，無疑還是雕塑。

National Archaeological Museum

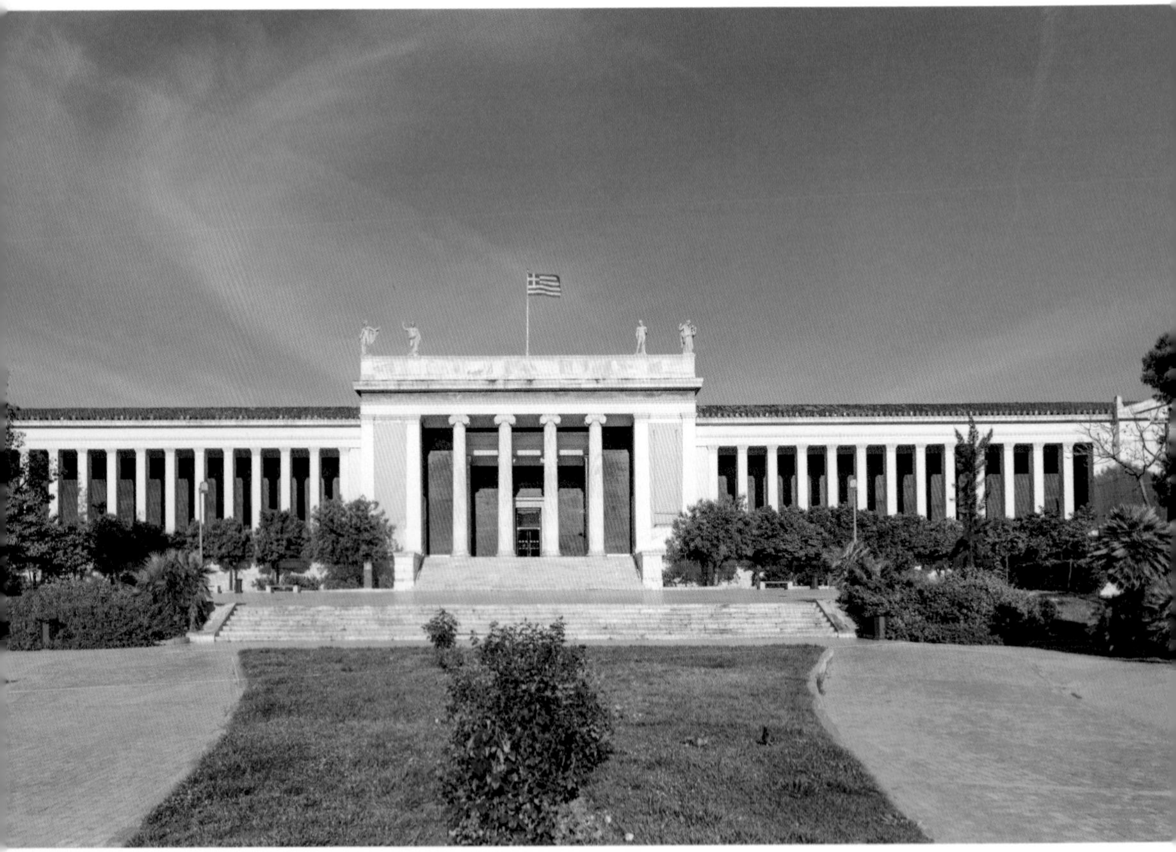

雅典國家考古博物館

雅典國家考古博物館位於歐洲南端的巴爾幹半島上，落腳希臘首都雅典，共收藏了兩萬多件文物。

提起古希臘文明往往會出現一個特別有意思的現象，那就是我們通常認為的「四大文明古國」裡沒有古希臘，為什麼？其實這要看怎麼界定。關於「四大文明古國」的說法事實上是有爭議的，美國作家麥克高希（William McGaghey）在《世界文明史》＊一書裡指出，五大文明古國除了古埃及、古巴比倫、古印度和中國，應該就是古希臘。

但是，說古希臘是一個文明古「國」，其實是不對的，因為它並不是一個「國」。「希臘」的英文叫 Greek，詞源意指「白色的石頭」。換句話說，在古時候，Greek 指的是某個地區的統稱——和我們經常說的「南洋」、「關東」有點類似，具體則包括了今天的希臘半島、愛琴海各島嶼，一直到小亞細亞半島的西部沿海一帶。既然不是一個國家，自然也無法被歸入「文明古國」。

不僅如此，嚴格來講，今天說的「古希臘」應該是從西元前一千年前後才開始，在此之前，這裡還有更古老的克里特文明、邁錫尼文明，前者幾乎可追溯到西元前三千年，和古埃及文明的年歲相同。但若硬要說克里特文明和古希臘文明是同一個文明，很多學者都不會同意，理由很簡單，克里特文明、邁錫尼文明和古希臘文明不是由同一個人種開創的。

＊威廉·麥克高希，世界文明史（M）。董建中，王大慶，譯，北京：新華出版社，二〇〇三年一月。

希臘的愛琴海地區很早就有人類活動，到了西元前二千八百年前後，原始社會基本上解體，克里特文明開始在今日的克里特島上孕育起來。西元前二千年前後，王宮出現，並在克里特島上建立了比較原始的早期王國。

著名的「米諾斯王朝迷宮」傳說就來自克里特文明。

相傳，克里特島上的國王米諾斯有個牛頭人身的怪物兒子，為了養活他，米諾斯國王特別蓋了一座迷宮，把怪物兒子關在裡面，並要求雅典每年進貢七對童男童女獻祭。最後，古希臘英雄忒修斯走進迷宮，殺死了這個牛頭人身的怪物。

令人吃驚的是，二十世紀初，考古學家宣稱找到了這個迷宮。其實他們找到的不過是克里特王宮時代的遺址，並不是迷宮，當年的國王也沒有牛頭人身的兒子，更和雅典沾不上邊。雅典，還要過很多年才會出現呢。

克里特文明最後是如何毀滅的，說法不一，有人說毀於軍事遠征，有人說毀於火山噴發。克里特文明一消失，真正意義上的「希臘人」才開始出現在歷史舞臺上。那麼，克里特文明的創建者又是誰呢？今天我們稱他們為米諾斯人。從古埃及人對他們的稱呼來判斷，應該是閃米特人的一支。

在米諾斯人之後出現的「希臘人」分成許多分支，有亞細亞人、愛奧尼亞人、多利亞人、佩拉斯吉人等，而這些人所開創的文明，才是真正意義上的「古希臘文明」。

不過，「希臘人」雖然出現了，古希臘文明仍然遙遙無期。

接替克里特文明的是邁錫尼文明，源於克里特島西北方的伯羅奔尼撒半島。邁錫尼文明存在了七、八百年，直到西元前一千一百年前後，「希臘人」中的多利亞人入侵，導致邁錫尼文明的滅亡，希臘也隨之進入所謂無文明的「黑暗時代」。

「黑暗時代」持續了約莫兩百年。西元前八百年左右，這些原本是蠻族的希臘人開始建立起像是雅典和科林斯這樣的城邦，創建了自己的文明，真正意義的「古希臘文明」總算正式起步。

到了大約西元前四九〇年，古希臘諸城邦開始與東方崛起的大帝國波斯發生衝突，爆發了兩次希波戰爭。古希臘城邦最終打退了波斯，古希臘文明也進入全盛時期，無奈外鬥剛停，內鬥又起。雅典和斯巴達這兩個最大的城邦互相不服，伯羅奔尼撒戰爭隨之爆發，雙方為了爭奪古希臘老大的地位經常混戰。

西元前三三〇年前後，不可一世的馬其頓國王亞歷山大橫空出世，「山要是不走到我眼前來，我就到它那裡去。」正是他的名言。亞歷山大用了不到兩年的時間，打得整個希臘地區群雄束手，乖乖認輸。緊接著，亞歷山大展開東征，征服了小亞細亞、埃及、敘利亞，最後居然徹底打垮了龐大的波斯帝國並使之滅亡，最後一直打到印度河流域才停住。

西元前三二三年，亞歷山大大帝的國土已經擴大到無以復加的程度，在全世界建立了幾十座亞歷山大城，希臘文明也隨著他的征戰傳播到了很多地方。亞歷山大死後，他的帝國四分五裂，古希臘文明也告一段落，另一個特別威武的國家——古羅馬——開始崛起。

古希臘文明可以說是整個西方文明的開端。西方有記載的文學、科學和藝術成果，都是從古希臘開始的。對於西方來說，古希臘文明太重要了，古希臘文明愈光榮、愈神乎其神，整個西方文明也就跟著身價高漲。所以從很早開始，西方學者就不遺餘力地為古希臘文明「貼金」，各種神話傳說、荷馬史詩，一直到後來的各種研究，使得今天我們知道的所謂「古希臘文明」，其實有誇大其詞的成分在內。

首先，我們總是把雅典和斯巴達這些政權叫作「城邦」，每一個城邦就是一個國家。事實上這些城邦叫「部落」更合適，尤其是早期的城邦。每個部落的力量都不是很強大，人口也不多，大家有時候團結起來舉辦奧運，聯絡一下感情，翻臉時就彼此拆臺，甚至動武，和大一統形式的古波斯、古埃及文明相比，城邦之間的關係非常鬆散。

另外，今天有些西方學者吹噓古希臘所謂「王政時代」的偉大，說古希臘時代已有現代的民主制度，這也有點誇張。古希臘早期的民主其實是原始民主的遺風，若仔細研究，和堯、舜、禹、湯沒什麼區別。

但在希波戰爭之後，古希臘文明確實進入了一個非常發達的階段，至今仍對我們的生活影響深遠，比如奧運、馬拉松、雕塑、建築，甚至年輕人掛在嘴邊的「人魚線」、「馬甲線」這種人體審美標準，也是古希臘遺留下來的。

今天在雅典國家考古博物館裡，我們能看到從西元前六千年到古羅馬時代的大量古希臘文物。其中讓人印象最深刻的無疑還是雕塑，而且最直接的感受往往是——古希臘的雕塑也太多了。

縱觀全世界那麼多間博物館，但凡大型綜合類博物館總有的幾款「標準配備」，除了中國的書畫瓷器、歐洲的繪畫、古埃及的木乃伊和莎草紙，還有就是古希臘的雕塑了。古希臘、中國、古埃及、歐洲，基本上是大博物館的「壯門面四件組」。法國羅浮宮三件鎮館之寶中的《斷臂維納斯》和《勝利女神》，就是古希臘雕塑。

《雅典娜》：神仙小，廟大

雅典國家考古博物館的眾多雕塑作品中，首先想和大家分享一件特別小的雕塑——《雅典娜》（*Varvakeion Athena*）。這座雕塑只有一百零五公分高。

有人可能會說，古希臘那麼多優秀的雕塑作品，這件小東西有什麼好介紹的？

有句俗話叫「廟小神仙大」，這件小東西正好相反，是「神仙小，廟大」。

怎麼說呢？因為這一百公分出頭的小雕像是個複製品——大理石版本的複製品——本尊是原本供奉在帕德嫩神廟裡的雅典娜女神像。

原版的雅典娜女神像現已不存，根據紀錄，這尊雕像通體為木製胎體，外面使用了大量的象牙、黃金、青銅飾品加以裝飾，據說光用來裝飾的黃金，若折合成今天的計量單位，就高達二千五百磅重。

《雅典娜》

而從博物館內這尊複製品可以看出，女神雅典娜頭戴黃金頭盔，頭盔上裝飾著斯芬克斯浮雕，身上穿著胸甲，一隻手拿圓盾，另一隻手托著勝利女神。至於雕像的原始尺寸，現今沒有準確的資料留存，有的說十二公尺高，有的說十五公尺高。

如今，不光原始的雅典娜女神像看不到，整個帕德嫩神廟都被破壞得千瘡百孔。帕德嫩神廟當初是為了紀念戰勝波斯帝國而修建的，剛修好時金碧輝煌，每天都有虔誠的信徒前來獻祭、膜拜。而這座神廟的衰落，也就是雅典或說古希臘文明的衰落。

西元前一四〇年前後，整個古希臘地區已經徹底被古羅馬征服，那些曾經輝煌的古希臘神廟從這時開始荒廢。幾百年過後，帕德嫩神廟來來回回被更改了好幾次用途：基督教興起被改為教堂；再過幾百年土耳其人把它改成清真寺，十七世紀甚至乾脆改成了軍火庫。而在戰爭中，軍火庫被敵人的炮彈擊中，整個神廟的內部結構和外牆都在爆炸中遭到毀滅性的破壞。

說起來，人類文明史上很多輝煌建築的悲慘命運都很相似，先是天災、兵災或火劫，接下來就是人禍。帕德嫩神廟亦然。

一七九九年，希臘尚處於奧斯曼帝國的統治之下。這一年，英國的額爾金伯爵被任命為英國駐奧斯曼帝國大使。額爾金？沒錯，火燒圓明園那當兒，就有一個英國的額爾金伯爵參與其中。

事實上，「額爾金」（Elgin）是蘇格蘭的一個地名，後來當地的豪紳家族布魯斯家族

帕德嫩神廟

被封為額爾金伯爵（Earl of Elgin），之後該家族的每一代男性自然都成了額爾金伯爵。跑到奧斯曼帝國當大使的是第七代額爾金伯爵湯瑪斯·布魯斯（Thomas Bruce），火燒圓明園的則是第八代額爾金伯爵詹姆斯·布魯斯（James Bruce）。

讓我們記住這兩個醜惡的名字，因為叔侄兩人都是臭名昭著的文物大盜。

第七代額爾金伯爵為了討好年輕的未婚妻，許諾會用貨真價實的古希臘文物為她裝修一座豪華莊園。這番浪漫誓言也讓帕德嫩神廟遭了殃。整整十年，這位伯爵只做一件事——暴力拆遷帕德嫩神廟。帕德嫩神廟殘存六十%以上的雕像、立柱、橫梁……都被他掃蕩得一乾二淨並運回英國。而且，此人一回英國就生了怪病，丟了官職不說，妻子也離開了他，財務變得空前吃緊。為了換錢，只得和英國政府商量，把這一大批從帕德嫩神廟劫掠來的無價之寶都賣給了英國政府。

第七代額爾金伯爵當時的開價是八萬英鎊，這是多少錢呢？以小說《簡愛》為例，簡愛在曼徹斯特莊園裡當家庭老師，在那時可是非常高貴的職業，包吃包住，一切日常用度都和上流社會無異，她一年的工資是二十英鎊。

結果，英國政府籌組了一個委員會，研究評估後，給了額爾金三萬五千英鎊。這批無價之寶全成了大英博物館的館藏。

在第一本《超級導覽員趣說博物館》介紹大英博物館時提過，羅塞塔石碑是大英博物館的鎮館之寶，其實這些被稱為「額爾金浮雕」的帕德嫩神廟相關文物，更是大英博物館的心頭肉。大英博物館甚至專門建造了一個與帕德嫩神廟一樣大小的「帕德嫩館」來展示這些寶貝，所有雕像都按照原來的方位一一復位。

另一方面，被劫掠的帕德嫩神廟文物成了希臘人心中永遠的痛。

為了收回帕德嫩神廟的遺產，希臘向英國發起了曠日持久的馬拉松式追討。今天前往雅典旅遊，關於收回帕德嫩神廟遺產一事處處可見。地鐵站裡擺著雕像的石膏複製品，希臘文化部到處分發小冊子，上頭寫著：「女神雅典娜的頭顱呼喚著她的軀幹回歸！」

自從希臘軍政府於一九七四年下臺，新政府上臺後，收回帕德嫩神廟遺產一事就已啟動。希臘政府不停施壓英國政府，要求他們歸還帕德嫩神廟的遺產。其中最具代表性的人物是二十世紀八〇年代的希臘文化部部長梅利納·梅爾庫里（Melina Mercouri），她多次跑到大英博物館和牛津大學發表演說，要求英國歸還文物。

然而，英國可不是好對付的。一提起這件事，英國比希臘還振振有詞，主張額爾金伯爵做的是件好事，這麼多無價之寶在希臘並沒有獲得好的待遇，風吹日晒不說，今天爆炸明天起火，要不是伯爵的極力保護，這些無價之寶恐怕早就去見宙斯了。

這個觀點相當具有蠱惑性。的確，希臘的基礎建設直到二十世紀七〇年代仍然一塌糊塗，滿街暴土狼煙，衛生條件奇差，衛城旁邊不是小商販就是紅燈區。只不過，時過境遷，現今希臘的現代化程度已經非常高，而且從二十世紀七〇年末就決定建設一座全新的巨型博物館。希臘人想出各種保護方案，就是為了堵住英國人的嘴。

哪知二〇〇四年雅典承辦奧運，奧運場館建設工程出現重大延誤，又讓英國人抓住了把柄。希臘當時的文化部部長維尼澤洛斯（Evangelos Venizelos）氣得暴跳如雷，計畫蓋一間空畫廊並空下所有該展出雕塑的地方，寫上「此物今存大英博物館」，向全世界揭露英國的罪行。

這個計畫當然沒成功，卻弄得連英國人自己都看不下去。二〇〇二年，英國某家博物館館長提議，乾脆讓英國和希臘共同擁有這些寶物，輪流展出。英國政府斷然駁回提議。後來希臘又提議用租的，每年給大英博物館租金。英國還是不同意。

希臘鍥而不捨，拉鋸戰直到現在還在進行，事情已經鬧到聯合國教科文組織準備干涉的地步，甚至連美國前總統歐巴馬都敦促過英國，只不過英國政府就當沒聽見。英國前首相布萊爾曾經公開表示：「那些大理石雕塑當然屬於大英博物館，據我所知，博物館沒有打算歸還任何一部分給它的祖國！」

《阿加曼農的金面具》與《荷馬史詩》

雅典國家考古博物館一進門就是「邁錫尼文明」展廳。前面說過，邁錫尼文明介於克里特文明之後、古希臘文明之前，前後延續了七、八百年之久，發祥於今天的伯羅奔尼撒半島。

「邁錫尼文明」展廳陳列的大量文物中，以《阿加曼農的金面具》最有名，也是雅典國家考古博物館絕對的鎮館之寶。

阿加曼農何許人也？二〇〇四年轟動一時的電影《特洛伊》中，大帥哥布萊德彼特演出古希臘著名英雄阿基里斯，希臘這邊的統帥就是阿加曼農。

特洛伊戰爭的故事主要記載在《荷馬史詩》裡。《荷馬史詩》作者原本公認是古希臘盲眼詩人荷馬，但根據研究，「荷馬」很可能指的不是某個具體的人，而是指當時的說唱藝人。那個時代有很多盲人因為沒有勞動能力，都成為了說唱藝人。也就是說，《荷馬史詩》完全可以理解成古希臘時期的評書，是根據民間傳說再夾雜希臘神話整理而成。

既是如此，一般人不會把《荷馬史詩》當作正史。若以我們熟知的《史記》為例，《史記》中記載的漢武帝比較有說服力，因為司馬遷和他是同時代的人。可是若上溯到三皇五帝，那些神農氏、蚩尤等人，就很難說他們是真實的歷史人物了，除非有出土文物或有當時的文字記載。

不過，十九世紀出現了一個考古狂人，那就是德國考古學家施里曼（Heinrich Schliemann），從小沉迷於《荷馬史詩》的他立下了一個古怪的大志願——把《荷馬史詩》裡的古蹟都挖出來！施里曼堅定到什麼程度呢？第一任太太因為不支持他的計畫，兩人離婚了。

誰都知道《荷馬史詩》是半神話半歷史，連荷馬這個人是否存在都沒有定論，但施里曼才不管，為重現《荷馬史詩》的古城投入了畢生精力。

一八七〇年，施里曼先在土耳其境內挖掘，挖出了很多古代城牆遺址，並在其中發現了大量的古代金銀製品。施里曼非常興奮，對外宣布自己發現了特洛伊國王普里阿摩斯的寶藏，而且一廂情願地認為其中一套女用首飾是大美女海倫戴過的。他把這套首飾取名「海倫首飾」，讓自己的希臘妻子戴上，拍下的照片登遍了歐洲各大雜誌封面。

一八七六年，施里曼開始在邁錫尼附近挖掘，發現了許多豎井墓，也發現了大量精美的黃金製品和其他藝術品。其中最著名的就是我們今天在雅典國家考古博物館裡看到的這一副黃金面具。

這副立體面具當時覆蓋在一具保存完好的男屍臉上，眉眼鼻口耳，一應俱全。從外貌看，這位男子生前應該留著俊美的鬍子，鼻梁很高，相貌堂堂。

施里曼一看到這副黃金面具就非常興奮，馬上發電報給希臘國王。電文很簡單：「我正注視著阿加曼農的臉。」現在看來，施里曼可能已經有點走火入魔了。

除了面具，施里曼挖出的墓葬裡還有很多精美的物品，青銅匕首、雕刻著獵獅的圖案、

《阿加曼農的金面具》

輕薄的黃金酒杯，還有金冠和黃金首飾等，有點類似塔吉克斯坦境內的奧克瑟斯寶藏，都是純黃金製品。

阿加曼農的面具、邁錫尼的黃金製品、古代波斯的黃金製品，這些東西放在一起說明了什麼呢？先賣個關子，後面再詳細解釋。先來說阿加曼農的面具。

首先，施里曼憑什麼認為他挖出來的就是阿加曼農本人？其實他沒有什麼根據，完全是主觀臆測。研究表明，施里曼發掘的這一個墓葬屬於邁錫尼早期墓葬形式，時間在西元前一千六百年到前一千五百年。但根據《荷馬史詩》，阿加曼農應該生活在西元前十三世紀，施里曼發現的這具男屍不過是古代邁錫尼文明時期的某位貴族罷了。不過，因為「阿加曼農」這個名字讓人印象深刻，今天還是稱呼這副金面具為「阿加曼農的金面具」。

希臘神話裡，阿加曼農年輕時是個馳騁疆場的少年英雄，後來東征西討，成為一代霸主。有一次，來自東方特洛伊的年輕王子帕里斯受了美神阿芙蘿黛蒂的唆使，來到阿加曼農之弟斯巴達王墨涅拉奧斯的宮廷裡，誘惑他的王后大美女海倫，拐走了她。墨涅拉奧斯知道後勃然大怒，馬上找哥哥阿加曼農商量對策。阿加曼農早就對特洛伊垂涎三尺，趁機遍發英雄帖，邀請全希臘勇士前來參戰，攻打特洛伊。長達十年的特洛伊戰爭就此爆發。

這些情節，我們在《荷馬史詩》甚至透過好萊塢電影都已有所了解。但問題是，真的有特洛伊戰爭嗎？特洛伊這個地方在哪呢？既然施里曼發現的這副面具不屬於阿加曼農，那真的有阿加曼農這個人嗎？

施里曼在土耳其挖到了一些城牆遺址，認為就是特洛伊城的遺址。從地理位置來說，這些遺址位於土耳其境內的希薩利克地區，由於連續很多年都有不同勢力在這裡建設城市，前一座城市毀滅後，又在其廢墟上蓋新城市，導致遺址疊加了一層又一層。

施里曼挖掘時，由於急於求成，剛挖到第二層就興奮地對外宣布成果。但第二層遺址的年代和《荷馬史詩》裡那個打了十年仗的特洛伊並不相符。如果真有特洛伊遺址，應該在更底下才對。很多年後，施里曼挖到第五層、第六層、第七層，果然挖出了不同的城市遺跡。

根據科學探測，第六層和第七層的年代和《荷馬史詩》裡的特洛伊年代相仿，城牆上也確實有被破壞和火燒的痕跡。可是也可能是第五層，因為雖然年代略有偏差，但《荷馬史詩》說，特洛伊的西面城牆修得不太好，而第五層的城牆確實修得不太好。

這幾層不同年代的城市，到底哪一個才是特洛伊？

隨著考古進一步深入，學者發現，《荷馬史詩》中的特洛伊有極大的可能性不是一座單一城市，而是古代小亞細亞沿岸同一個地點、不同城市的形象疊加。史詩裡這段長達十年的「特洛伊戰爭」，其實是某一段古希臘真實歷史的文學化再現。

在真實歷史的邁錫尼文明時代裡，希臘地區的各種城邦曾經對愛琴海對面地區發動長期戰爭。這樣做的根本目的不是為了英雄主義，而是來自貿易的需要。

要搞清楚這個問題，我們得先了解古希臘地區的地理環境。

首先，伯羅奔尼撒半島很小，與其說有農業，倒不如說是園藝業，沒有可以用來生產糧食作物的大片土地。那怎麼辦呢？交換。當時主要的交換對象是北非地區的古埃及。但，拿什麼換？

我們今天能在雅典國家考古博物館裡看到大量的陶器、青銅器、金銀製品，在在闡述了一個事實，那就是至少在邁錫尼文明的時代，愛琴海地區是個手工業發達的地區。換言之，古代的邁錫尼文明可以簡單理解為「製造業大國」。

製造業最需要什麼？原料。希臘地區並不產銅。製造業還需要人力，希臘地區生產主要靠奴隸，但當地的人口不多，互相打仗也產生不了多少戰俘當奴隸。既沒有原料又沒有奴隸，只能用搶的。

哪兒的銅最多，哪兒的奴隸最多？東方。邁錫尼文明的各城邦深知，愛琴海對面的亞洲人口豐富，又產銅，所以連年遠征東方。古希臘神話裡，大力士海克力斯去東方立功、大英雄伊阿宋去東方找金羊毛，其實都是侵略東方的暗喻。

但很快地，東方崛起了強大的西臺帝國，消滅了古希臘人在正面東進道路上的橋頭堡米利都。古希臘人難以戰勝西臺帝國，只好朝北進攻今天緊挨著黑海入海口的特洛伊。特洛伊一地由於緊鄰達達尼爾海峽，海上可連接黑海和愛琴海，陸地可連接歐亞，一直是個商業繁榮的地區。就算本身不產銅，因為貿易的緣故，也一定有銅，而且人口肯定不少。

於是，在邁錫尼文明時期，希臘各城邦連續攻擊此一地區，獲取了大量的原料和奴隸，持續時間不止十年，特洛伊戰爭只是這種長期侵略在民間史詩中的縮影罷了。從某種程度來說，正是這種不斷的東進為古希臘帶來了大量的原料和奴隸，造就了古希臘的文明。這種東進後來惹怒了新崛起的大帝國波斯，引發希波戰爭。再後來，亞歷山大也是在這種慣性之下朝東方進軍。

至於神話中特洛伊戰爭的導火線美女海倫是不是真有其人呢？這裡我只想說，「希臘」一詞的英文「Greek」，意思是「白色石頭」，但「希臘化」或說「希臘圈子」的稱呼是「Hellenistic」，是不是和「海倫」發音很像？

《馬背上的少年》

我們在雅典國家考古博物館能看到當年這種東進的累累碩果，各種精美的古希臘手工藝品、青銅製品，琳琅滿目，簡直是古代手工藝品超市。尤其是那些青銅雕塑，無論大小，每一件都栩栩如生。

其中最有名的一件是《馬背上的少年》（*Jockey of Artemision*）。這件一九二八年從海裡被打撈上來的青銅雕塑最讓人震撼的就是那匹馬，前後蹄完全蹬開，展示出飛馳的瞬間動態，馬臉上清晰看得到凸出來的血管。馬背上的小騎士一看就是典型的非洲人，面部特徵刻畫無比鮮活，充分證明了古希臘和北非地區聯繫密切。據推測，這座雕塑的製造年代是西元前一四〇年左右，相當於中國的漢武帝時代，其超前的技術工藝足以說明古希臘手工業強盛。

《馬背上的少年》

古希臘眾神雕像

雅典國家考古博物館裡最多的青銅雕像，當然是古希臘眾神。最有名的是海神波賽頓的青銅雕像（The Artemision Bronze）。身材健美的波賽頓留著一把大鬍子，身體結構極其精準，肌肉發達，只見他手持三叉戟，正準備向敵人投擲。據說這是為了紀念古希臘與波斯的海戰勝利而鑄造的，不過三叉戟現已不存。當然，由於沒有了三叉戟，也有人說這尊雕像是手持閃電棒的宙斯。

除了波賽頓，雅典國家考古博物館裡還有各種古希臘神話人物的雕像。比如勾引海倫的大帥哥帕里斯、美神阿芙蘿黛蒂、斯芬克斯等。

這裡又引出了一個有趣的話題——為什麼古希臘的神這麼多？熟悉古希臘神話的讀者肯定知道，古希臘凡事凡物都有神，而且派系林立、輩分重疊，大到泰坦神、奧林匹亞諸神，小到仙女、巨人、半人馬。

小小的地方，哪來這麼多神？

原因很簡單，因為所謂的「希臘」，在古代就是大大小小的城邦。再往前追溯，這些城邦不過就是大大小小的部落。每個小部落都聲稱自己是某個神的後代，幾個部落一旦聯合或統一，肯定會再設置一個總神。若範圍再擴大，仍然以此類推，層層疊疊，到了最後自然有些混亂。舉例來說，古希臘神話裡面是光是管理海洋的神就有好幾個。

海神波賽頓

說穿了，古希臘神話純粹是人類活動的反映。好比古希臘神話裡有一種半人半馬的肯陶洛斯人，大賢者喀戎就出自該族，而這個種族的原型其實是影射從亞洲遷徙而來、從事半農半牧生活的部落。

這裡必須強調的是，古希臘文明雖然偉大，其實吹牛成分也挺大。阿加曼農和埃及法老圖坦卡門都有金面具，邁錫尼寶藏和奧克瑟斯寶藏如此相像，這之中到底有沒有蹊蹺？

根據考古研究，早在克里特文明的時代，所謂的「希臘人」，很多都是從東方遷徙而來，深受古埃及文明和兩河文明的影響。尤其是克里特文明，其著名的「獅子門」（Lion Gate）、雕塑、繪畫，和兩河文明極為相似，線性文字和楔形文字之間的傳承關係也很曖昧。此外，邁錫尼黃金寶藏和波斯寶藏的相似之處恐怕也不是偶然。這說明了古希臘應該是一種更接近東方文明的文明，古希臘人很可能也是亞洲人，海神波賽頓雕像的那一把大鬍子，不就和介紹奧克瑟斯寶藏時提到的米底人大鬍子非常相似嗎？

如果古希臘文明的源頭真的是東方文明，它又怎麼會變成西方文明的源頭呢？這其實有很大程度是西方國家神化古希臘文明的結果。比如施里曼那些發現很難站得住腳，當時卻沒有人站出來戳穿他，就是因為十九世紀的歐洲掀起了古希臘考古熱。尤其是剛剛完成統一的德意志帝國，當然不願意承認自己的出身只是群容克土地主，迫切需要為自己找個「好祖宗」，於是開始大肆包裝古希臘文明，拉高其身價，終於達到了整個西方文明「老祖宗」的地步。在他們的描述中，和古埃及相仿的年代裡，愛琴海地區已經有一群高大、皮膚白皙、金髮碧眼的優等種族，德意志民族則是這支優質民族的直系後裔。經過「古希臘熱」的強大宣傳，古希臘文明也逐漸演變成了今天人們心中西方文明的源頭。

事實上，在古希臘諸多文明遺跡中發現的線性文字已經證明，古希臘人很可能是印歐人種的後裔，也就是古代黑海一帶的人種。古希臘文明直接啟迪了西方文明不假，但其源頭很可能來自東方文明。*

* 雷姆塞（William Mitchell Ramsa），《希臘文明中的亞洲因素》，孫晶晶譯，鄭州：大象出版社，二〇一三年。

Israel Museum

CHAPTER 2

美麗與哀愁：以色列博物館

耶路撒冷本身就是世界上最好的博物館，這裡有猶太教的哭牆、伊斯蘭教的圓頂清真寺、基督教的「苦路」。上帝給了耶路撒冷九分的美麗，也給了它九分的哀愁。

這一章要介紹一個非常複雜的地方，中東聖城耶路撒冷，了解一下位於耶路撒冷的以色列博物館。

介紹每一間博物館時，我都會稍微介紹一下該博物館所在的城市、地區、國家，甚至講講相關的歷史，但對於耶路撒冷來說，所有的這一切都太複雜了。

首先，耶路撒冷是世界三大天啟宗教——猶太教、基督教、伊斯蘭教的共同聖地。對猶太教來說，這裡有第一聖殿哭牆；對基督教來說，這裡有耶穌背著十字架走過的「苦路」，也是耶穌基督受難和升天的地方；對伊斯蘭教來說，這裡是聖人穆罕默德夜行登霄見到真主的所在。

再從歷史的角度看，耶路撒冷從西元前二十世紀就已有人居住。之後，希伯來、亞述、古巴比倫、波斯、古希臘、古羅馬、拜占庭、阿拉伯帝國、古埃及、土耳其帝國、大英帝國都統治過這裡。在這塊土地上，十字軍和薩拉丁大帝曾經大戰，英國和土耳其打過仗。時序跨入現代歷史後，以色列和阿拉伯諸國圍繞著它不斷爆發戰爭和糾紛，直到今天，以色列和巴勒斯坦仍然被圍繞聖城的相關歸屬問題弄得焦頭爛額。

總之，這座城市絕對是世界上最複雜、最敏感、最不能貿然下結論的地方。若前往耶路撒冷旅遊或朝聖，不但要接受以色列的嚴密安全檢查，抵達聖城以後也有很多規矩要遵守，比如絕對不要侮辱任何一種宗教信仰，最好不要抽菸，當然不能喝酒，著裝最好得體。

除去這些不談，耶路撒冷這座城市是世界上最好的博物館。

以色列博物館

這裡有猶太教的哭牆、伊斯蘭教的圓頂清真寺和阿克薩清真寺、基督教的「苦路」和聖墓教堂，街上一座普通的樓房、一面普通的牆壁，甚至腳下踩的道路，都是真真切切的歷史。這個地方步步是古蹟，滿眼是珍寶，這樣的地方，放眼全世界恐怕找不出幾個。

猶太教經典《塔木德》說：「上帝給了世界十分美麗，九分給了耶路撒冷。」十五世紀的基督教士說：「它是所有罪惡的集合。」後世的人則說，上帝確實給了耶路撒冷十分美麗中的九分，但上帝同時也給了世界十分哀愁，而其中九分都在耶路撒冷。

以色列雖然不大，全國卻有兩百多家博物館，以色列博物館只是其中之一。以色列的博物館很多是綜合型博物館，既收藏古代文物，也收藏現代藝術作品。

《死海古卷》：人類歷史上最重要的考古發現之一

以色列博物館的位置極佳，離耶路撒冷舊城區很近，就在舊城西邊，修建於一九六五年，是以色列國家級博物館。館藏的古代文物數量比其他博物館多，價值也高得多。

首先要介紹的，無疑是以色列博物館鎮館之寶——《死海古卷》。

《死海古卷》是二十世紀四、五〇年代全球重要的考古發現之一。今天要看這些古卷，未必需要親自前往耶路撒冷，只要登錄以色列博物館官網即可。以色列博物館和Google合作製作了非常清晰的古卷數位典藏，甚至能左右拉動，觀賞起來非常方便。

當然，很多人還是希望能夠一睹《死海古卷》真容。以色列博物館把古卷收藏在一間名為「聖書之龕」的建築裡，「聖書之龕」的外表像個巨大的白瓷罐蓋子，這是因為當初發現古卷時，古卷全都被收藏在這樣的陶瓷罐子裡。

那麼，當初最早是誰發現這些白瓷罐呢？是一群山羊。

耶路撒冷東南方就是著名的死海，死海西北角一帶有個地方叫庫姆蘭，此處因為有死海這座巨大的鹽鹼湖，植被極少，到處都是光禿禿的黃土山丘。雖然已劃為國家公園，但直到今天，除了尋幽探祕的考古學家和遊客，此處仍然人跡罕至。

一九四七年某一天，兩個貝因特少年在這一帶放羊，活潑的山羊跑進了一個黑乎乎的山洞，放羊少年們也追著山羊跑了進去，在山洞裡發現了一卷卷破破爛爛的羊皮、破紙卷。少

聖書之龕

年們當時並不知道，這些看似破爛的東西，正是考古學上最偉大的發現之一。

當然，關於《死海古卷》到底是怎麼被發現的，說法不一，牧羊少年發現說只是其中一個版本。不過所有被發現的經文，或者抄寫在羊皮上，或者抄寫在莎草紙上，都被裝在陶罐裡。為了紀念，以色列博物館用來展出《死海古卷》的「聖書之龕」，就特別設計成罐蓋的模樣。

《死海古卷》的主體主要是《舊約》，據說除了《以斯帖記》，《舊約》每一卷基本上都齊了。考古學家在死海沿岸相繼發現了這十一個存放古卷的山洞，而且考古發掘直到現今仍陸續進行，要是哪一天挖出了《以斯帖記》，那也不是什麼新鮮事。

你一定想問，這批古卷到底有什麼了不起呢？

《死海古卷》之所以震驚全世界，在於它們證明了一件事——《舊約》居然沒怎麼被改動過。

書籍的流傳有時候很難做到嚴謹。同樣一個詞語翻譯成不同文字時，或抄寫時發生謄寫或校對錯誤，隔了幾百年、幾千年之後再看，就完全變成了別的意思。

各種「解釋」也是歪曲經文的原因之一。舉個例子，《論語》名句之一「唯女子與小人難養也」，有種說法認為，「女子」的「女」字是通用字，指的是第二人稱「汝」，哪知後人一解釋，這句話就成了孔子貶低女性的罪證。

還有一種情況是，很多人——尤其是帝王和統治者——不惜大肆篡改書籍，好讓它們更

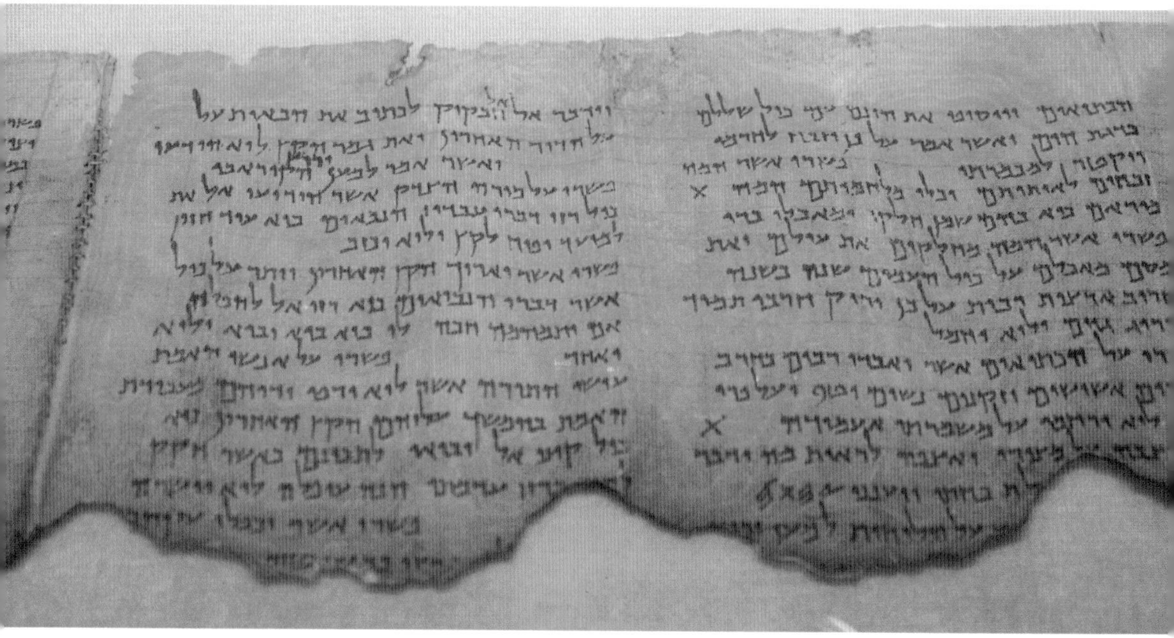

《死海古卷》殘本局部

符合自己的利益或需要。這樣改來改去，經文和最初的古經一對照，常常離題千里之遠。

在這之中，歷史書往往被篡改得最嚴重，所以我們常說「歷史是任人打扮的小姑娘」，而另一種遭到嚴重篡改的文類，就是宗教經文。

廣義的基督教史中，對於經文的解釋眾多，各種神學討論汗牛充棟，不禁讓人自然而然產生了如下疑問——今天我們看到的《聖經》，包括《舊約》和《新約》，哪些是真正的原版？經過那麼多年，經文是不是早已被篡改了呢？

《死海古卷》之所以令人驚喜，正因為把古卷和今天的《聖經》兩相對比後會發現，兩者幾乎一模一樣，改動非常少。這在很大程度上讓《舊約》變得可信度極高。而且根據測算，《死海古卷》最早被埋藏的時代可追溯到西元一世紀，甚至更早，也就是比耶穌生活的時代還要早，意味著至少從西元一世紀至今，《舊約》幾乎沒怎麼被改動過。

《死海古卷》殘本

《死海古卷》發現之前，最早的《聖經》古本是西元九〇〇年前後的版本，《死海古卷》把《聖經》傳承有序的歷史，往前提早了整整近一千年。

此外，就像收藏於大英博物館的敦煌經卷，《死海古卷》的內容不光《舊約》，還有很多其他文獻，比如研究教義的手稿、智慧書、歷史記載、律法，以及一些往來信件等，都是用當時的古代語言寫成，除了古希伯來語，還有古亞拉姆語，無疑為我們還原古代猶太教和基督教的原始面目提供了巨大的幫助，也給了後人很多靈感。好比二〇〇二年梅爾．吉勃遜（Mel Gibson）拍的電影《受難記：最後的激情》，裡面的人物說的就是當時的語言，包括拉丁語、希伯來語、亞拉姆語等。

那麼，是誰寫了這些古卷呢？

根據考證，古卷的作者是早期的艾賽尼派（Essenes）。艾賽尼派是當時猶太人的三大思想流派之一，也是典型的苦修者，不結婚、不吃肉，極度強調自我克制，過著每天禱告、勞作的苦修生活。他們在死海邊幾乎寸草不生的曠野上，憑藉著團結和友愛，艱苦勞作，種植一些簡單的作物過活，白天工作，晚上研習教義、領悟神的精神，並抄寫經文。

後來羅馬人占領了巴勒斯坦一帶，艾賽尼派的人預感到大事不妙，就抄寫了完整的經書，封存在陶罐裡，藏在高高的砂岩山洞中。艾賽尼派最後幾乎被羅馬人斬盡殺絕，他們留下的經書則靜靜躺了一千多年，直到成為我們今天在以色列博物館裡看到的《死海古卷》。

雖然無法親手觸摸，必須隔著一層玻璃閱讀，而且申請哪一個章節就只能讀那個章節，但確然是貨真價實的《死海古卷》無誤。

如果你覺得看不了多少《死海古卷》有點遺憾，以色列博物館的《聖經》版本絕對夠你看。各種中世紀的《聖經》手稿，各種文字、形制、版本，異常豐富。在活字印刷術尚未發明之前，手抄《聖經》是一件非常繁重的工作。

只剩下一面西牆的「第二聖殿」

除了《死海古卷》，以色列博物館還有一件大型展品非常值得一看，那就是西元一世紀的耶路撒冷古城模型。

這個按照一比五十的比例微縮而成的模型占地很大，站在這個巨大的模型前面，將能清楚檢視猶太人「第二聖殿」原貌。

對猶太人來說，「第二聖殿」為什麼如此重要？這得從很早以前摩西率領猶太人出走埃及開始說起。

有人說，如果猶太教有創始者的話，應該就是摩西了。當初他帶領猶太人走出埃及，上帝親手在石板上寫下了十條規定，並把石板交給摩西，這就是著名的「十誡」。這十條戒律則是上帝和人類之間的十條約定，我們才把早期的《聖經》稱為《舊約》。為了放置寫有十誡的石板，摩西按照上帝的指示，製作了有名的約櫃，由祭司抬著。

第二聖殿模型

時光流轉，按照《聖經》記載，大約在西元前一千年左右，大衛王把約櫃帶到了耶路撒冷。大衛王是猶太人的重要君主之一，他統治的時代也是猶太人歷史上的全盛時期，那時猶太人的王國非常強大。大衛王在世時就想興建一座聖殿來存放神聖的約櫃，但受到先知的阻攔，等到大衛王的兒子所羅門在位時，聖殿才興建起來。在猶太人的歷史中，這個聖殿被稱作「第一聖殿」，神祕的約櫃就藏在裡面，只有最高級別的祭司才能進入。

等到西元前五九七年到前五三八年，古巴比倫兩次入侵耶路撒冷，摧毀聖殿不說，約櫃也不知所蹤。古巴比倫國王尼布甲尼撒二世（Nebuchadnezzar II）把猶太王國的大批人民、工匠、祭司和王室成員都擄回了巴比倫，這就是歷史上著名的「巴比倫之囚」。

後來，波斯帝國崛起，滅掉了古巴比倫，猶太人得以返回故鄉重建聖殿，而這座重建的聖殿，就是「第二聖殿」。

再後來，羅馬帝國占領了耶路撒冷，施行暴政。猶太人在西元七十年曾經發動起義，意圖反抗，但很快就被羅馬軍隊鎮壓。為了懲罰猶太人，羅馬人一把火焚毀了第二聖殿，只剩一面西牆遺留下來。這面牆就是今天全世界猶太人時刻記掛著的「哭牆」，每一個來到這裡的猶太人都必須默默哭泣，頌念經文，禱告。而從那時直到眼下的每一年、每一天，都有大量猶太教徒在哭牆前禱告，非常壯觀。

除了古城模型和《死海古卷》，以色列博物館的考古館也十分值得一看。藏品涵蓋了巴勒斯坦幾乎每一個歷史階段，從古埃及的石碑到古希臘的陶罐，應有盡有。

不過，大家前往以色列博物館主要還是為了看《死海古卷》。更進一步說，來到耶路撒冷的遊客，又有幾個人想參觀博物館呢？眼前這座只有一平方公里的耶路撒冷舊城，這座聖城，才是他們真正想看的。

無論你對三大宗教之間的恩恩怨怨抱持何種觀點和態度，有一點可以肯定——幾千年的爭論和戰爭沒有發揮什麼作用，聖城仍然苦難重重。面對爭議，對抗永遠都不是好辦法，也許還是流行於耶路撒冷的那句諺語最能解決問題：「自己想活著，也要讓別人活著。」

CHAPTER

3

自然科學大教堂：英國自然史博物館

這是一座歷史悠久的自然歷史博物館，也是歐洲目前最大的自然歷史博物館，收藏了多達八千多萬件的自然科學標本，這座典型的維多利亞式建築處處彰顯著莊嚴與肅穆，被歐洲人稱為「自然科學大教堂」。

The Natural History Museum

按照中國傳統，博物館大致可分為四類——歷史類、藝術類、科學與技術類、綜合類。從第一本《超級導覽員趣說博物館》的大英博物館開始，我們介紹了歷史類博物館和綜合類博物館，也介紹了不只一間藝術類博物館，科學和技術類博物館卻沒介紹過。現在，我們就要再度前往英國倫敦，去看看世界上較好的自然科學類博物館之一：英國自然史博物館。

要介紹英國自然史博物館，不得不再次提及大英博物館，原因無他，只因英國自然史博物館是從大英博物館分出來的。為什麼要分出來呢？因為大英博物館的藏品太多，實在裝不下，只好把自然科學藏品單獨分離出來，成立英國自然史博物館。

正因如此，英國自然史博物館不但是歷史較悠久的自然類博物館之一，也是歐洲目前最大的自然史博物館，收藏的各種自然科學標本高達八千多萬件。

貨不在多而在精。大英帝國身為老牌資本主義國家，又是第一次工業革命發源地，十九世紀時的自然科學發展領先全球，隨便列舉幾個大科學家如道耳頓（John Dalton）、法拉第（Michael Faraday）、焦耳（James Prescott Joule）、馬克士威（James Clerk Maxwel），還有大名鼎鼎的達爾文，這還不算稍早的牛頓、虎克（Robert Hooke）。光這一長串名字，就不難想像當時英國的自然科學發展水準。

自然史博物館位於倫敦的海德公園旁，地理位置相當顯眼。但若你真的造訪，恐怕會先懷疑——這是自然史博物館嗎？不是教堂嗎？的確，當你看到一座與教堂類似的建築，那就是英國自然史博物館了。

英國自然史博物館

英國自然史博物館內部

自然史博物館的設計者是英國知名建築師沃特豪斯（Alfred Waterhouse），除了這間博物館，英國曼徹斯特市的市政廳、利物浦大學、約克郡大學、牛津大學、伊頓公學等機構當中的很多建築，都出自他之手。

英國自然史博物館表面上看起來是一棟典型的英國維多利亞式建築，高聳的尖頂、層層推進的浮雕大門、標誌性的高塔……氣宇軒昂，非常雄偉。但它也像大英帝國一樣，看起來有些老氣橫秋、食古不化，裡面又有很多羅馬式拱門和廊柱，顯得莊嚴又肅穆。難怪歐洲人為這座博物館起了個「自然科學大教堂」的雅號。

備受英國人喜愛的梁龍「Dippy」

曾經長達整整一百一十年，所有來參觀自然史博物館的人一踏進大門，就會見到一副完整的梁龍骨架模型。

自從史蒂芬史匹柏拍攝第一部《侏羅紀公園》開始，全球掀起了恐龍熱，最新一集《侏羅紀世界》則於二〇一八年上映。在一系列的「侏羅紀」電影裡，我們經常看到梁龍，長長的脖子、長長的尾巴、粗壯的四肢、巨大的身軀……梁龍的化石也是比較常見的，數量較多。

很多人分不清楚腕龍和梁龍，其實梁龍的體長比腕龍還長，脖子則不像腕龍那樣可以抬起來。梁龍個子雖大，由於脖子抬不起來，只能吃一些位於低處的植物。而且梁龍的牙特別細，吃不了需要費力咀嚼的粗壯植物，只吃鮮嫩多汁的，可以說是一種有典型「公主病」的恐龍。

十九世紀時，這隻曾經在英國自然史博物館門口迎賓的梁龍在美國懷俄明州被發現，牠大約生活在距今一億五千萬年前——標準的侏羅紀時代——身長超過三輛大巴士。這隻可憐的恐龍還活著時，體重可達二十五噸，是個絕對的龐然大物。還沒當上英國國王的愛德華七世（Edward VII）當時正在美國閒逛，突然看見這件「大玩具」，喜歡得不得了，想帶回英國。

美國人一開始並不同意，好在著名的「鋼鐵大王」卡內基（Andrew Carnegie）出來打圓場，說要做一個標本送給愛德華七世。就這樣，卡內基花錢，讓人嚴絲合縫地做了個石膏模型。於是乎，從一九〇五年起，這副梁龍骨架就在英國自然史博物館展出，總共展了一百一十多年，也算得上是某種名副其實的鎮館之寶吧。英國人非常喜歡這副梁龍骨架，由於梁龍的英文是「Diplodocus」，他們按照當時幫恐龍取外號的慣例，為它取了個暱稱叫「Dippy」。

快轉到二〇一七年，英國自然史博物館突然宣布，要用一副藍鯨骨架替換 Dippy，讓 Dippy 退休。館長說 Dippy 只是模型，替換 Dippy 的藍鯨骨架可是貨真價實的真骨頭，而且比 Dippy 更早來到博物館，早在一百二十多年前，自然史博物館還屬於大英博物館一部分時

梁龍「Dippy」

就是館藏。

可是，英國人不買帳，甚至成立了聲援網站，聯名要求不要撤換 Dippy，卻依然沒能阻止博物館，凱特王妃也於二〇一七年出席了藍鯨骨骼標本的揭幕儀式。現在再踏入自然史博物館，迎接大家的已不是可愛的 Dippy，而是一副巨大的藍鯨標本。

化石是動植物在毫無防備的情況下，突然遭遇自然災害或其他傷害，瞬間被掩埋起來並迅速隔離氧化形成的。但凡是化石，必然是動植物突然遭遇死亡的結果，不過十八世紀以前的人可不這麼看。教會對《聖經》做了一番解釋，宣布世界是六千多年前上帝創造的，連上帝在幾點幾分創世都說得清清楚楚。化石？碰巧長得像骨頭的石頭罷了。這種說法一直到十七世紀才被打破，英國博物學之父約翰·雷（John Ray）指出，這些化石都是古代動植物的屍體，總算讓大家恍然大悟。

一八二二年某一天，英國鄉村醫生曼特爾（Gideon Mantell）家門口因為修路，挖出了一些特大的牙齒化石，他太太因為知道他喜歡採集化石，就拿回來給他看。曼特爾一看喜出望外，找上法國生物學家居維葉（Georges Cuvier）鑑定。居維葉看後說，這只是犀牛、河馬之類的動物牙齒化石，沒什麼稀奇，但曼特爾不死心，又拿去大英博物館找人幫忙。結果和鬣蜥牙齒一對比，發現很像，只是曼特爾發現的牙齒化石尺寸超大，懷疑是遠古時代一種很像鬣蜥的動物化石。

後來大家才知道，曼特爾夫婦發現的牙齒來自禽龍。隨後也發現了愈來愈多類似的化石。到了一八四二年，英國古生物學家歐文爵士（Sir Richard Owen）用拉丁文「恐怖的」和「蜥蜴」兩個詞的詞根拼湊了一個新詞，成了我們今天非常熟悉的恐龍「dinosaur」。

緊接著，整個歐洲都掀起了尋找恐龍化石的熱潮，更多種恐龍化石被發掘了出來並加以研究。大家也逐漸明白，這種名叫「恐龍」的物種原來有那麼多種類。

始祖鳥化石

自然史博物館一樓右側展廳裡展示的，主要就是恐龍，以及其他一些古生物，包括魚龍、蛇頸龍、霸王龍、新頜龍和始祖鳥。有趣的是，自然史博物館裡這個缺了頭的始祖鳥化石曾經引發過一場巨大的爭論。

一八六一年，德國古生物學家邁耶（Hermann von Meyer）宣布，他在德國索倫霍芬（Solenhofen）的地層中發現了一根奇怪的羽毛化石。沒多久後，整隻鳥的化石也挖到了，但缺少頭部。

巧的是，兩年前的一八五九年，達爾文剛剛發表了科學史上最重要的著作之一——《物種起源》，並在書裡首次提出生物是逐漸演化而來的理論。很顯然，達爾文論點與神創論完全對反，而且在達爾文學說出現的同時，反達爾文主義者理所當然也隨之出現。反達爾文主義者問，你說生物是逐步演變而來，證據在哪裡？

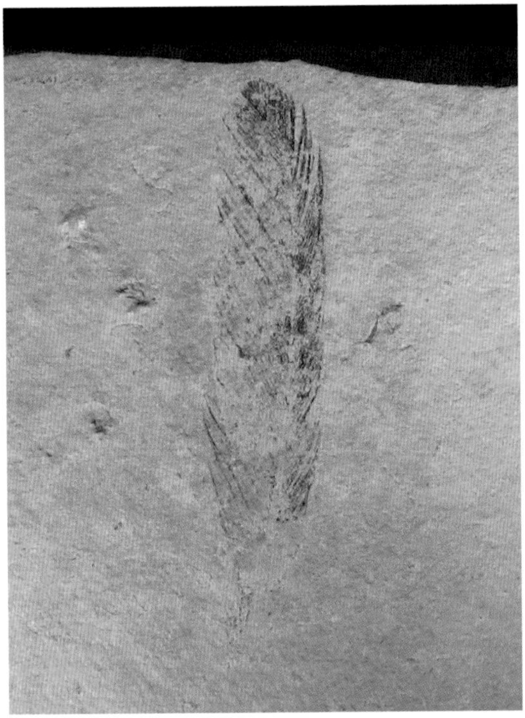

始祖鳥羽毛化石

達爾文解釋，化石要具備一定條件才能形成，反對者當然不依不饒。好在達爾文的運氣相當不錯，僅僅兩年後，始祖鳥的化石就出土了。達爾文很高興，之後在《物種起源》的修訂版本裡故意寫道：「有一種鳥的尾巴像蜥蜴，每個關節上都長著羽毛，翅膀上還長著兩個自由的爪子，真的很奇特，我很走運。」

這隻始祖鳥的化石在一八六二年十月一日抵達大英博物館，被稱為「倫敦標本」（London specimen）。

有趣的是，把這隻鳥帶回來的是當時博物館的自然歷史部負責人，也就是創造「恐龍」一詞的歐文爵士。歐文爵士堅持大英博物館應該免費開放，甚至邀請工人來博物館參觀，和達爾文也是好朋友，但在研究領域，他是一位反達爾文主義者。他把這隻鳥帶回大英博物館的目的不是為了證明達爾文主義的正確性，恰恰是為了反擊達爾文主義。

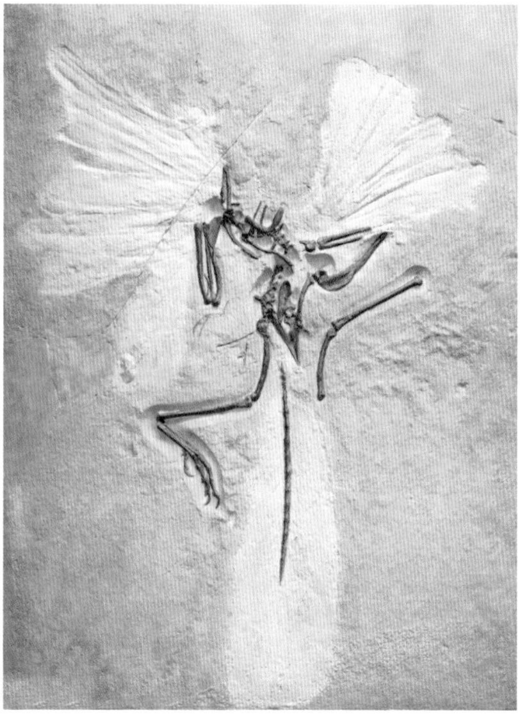
始祖鳥化石「倫敦標本」

只不過，歐文爵士研究了老半天，連他自己都覺得這隻鳥很可能真的是某種過渡性動物的化石，卻還是撰寫了論文批判始祖鳥，說這就是一隻古代的鳥而已，並不是什麼過渡性的化石。論文漏洞百出，連他自己都覺得不好意思。到了一八七七年，又挖到了一個始祖鳥化石，這隻始祖鳥的頭保存完整，後來收藏在柏林，被稱為「柏林標本」（Berlin specimen）。

「倫敦標本」和「柏林標本」出土一百多年以後，德國學者發現，早在達爾文還沒發表《物種起源》的一八五五年，始祖鳥化石就已經被發現了，但那時大家認為化石屬於一種特殊的小號翼龍，沒特別當一回事。事實勝於雄辯，達爾文是正確的。

直到今天，世上仍有反達爾文主義者，有些人甚至不惜製造謠言，主張始祖鳥是個「驚天騙局」，化石都是偽造的。類似的陰謀論儘管非常有市場，但始祖鳥的確在全世界各角落成堆地被發

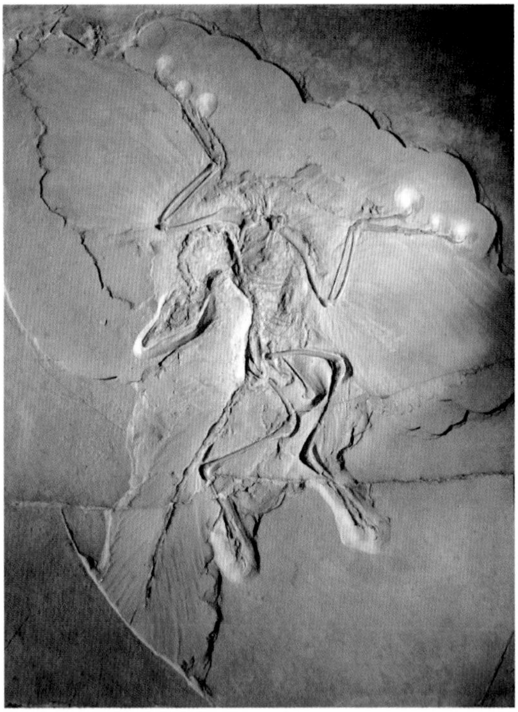

始祖鳥化石「柏林標本」

現，包括中國的遼寧西部。難道全球不約而同集體造假嗎？

我們也必須說清楚，不管是當年的歐文爵士還是今天的反達爾文主義者，在本質上都沒有錯，科學就是要爭辯、要論證。但爭論歸爭論，前提是拿出證據，造謠、猜想、臆測，都是不對的。

今天，自然史博物館門外就靜靜擺放著達爾文的雕像。達爾文有大大的額頭，一把大鬍子。我們之前也介紹過其他雕像，比如伏爾泰的雕像，但大部分的名人雕像都很嚴肅。達爾文呢？高高的眉骨快遮住了眼睛，一副滿不在乎的樣子，彷彿在說：「你們看，我早就說過了，你們就是不信……」

在自然史博物館裡還能看到達爾文和另一位探險名人庫克船長（Captain James Cook）帶回來的各種動植物標本，這些珍貴的標本會把我們帶回那個世界還很大，充滿了探險與未知的年代。

庫克船長是很多小男孩小時候的偶像，他發現了澳洲，也是首次登陸夏威夷群島的歐洲人，創造了環繞紐西蘭的航行紀錄，製作了精確的航海圖，發現了改善壞血病的方法。

庫克船長最後在夏威夷和當地島民打鬥而死，結束了傳奇的一生。他的手稿大部分收藏在澳洲，據說自然史博物館的圖書館也收藏了一部分，而且可以肯定的是，我們能在自然史博物館裡看到庫克船長帶回英國的世界各地工藝品，每一件都有非常高的價值。

世界上最大的魷魚

自然史博物館裡還有很多匪夷所思的生物化石和標本，比如說曾於二〇〇六年展出的世界上最大的魷魚。

很多人分不清魷魚和烏賊。有人指出，這兩種動物最大的區別是魷魚有軟骨，而烏賊有硬骨頭，其實兩者的差別遠不止於此，只能說這兩種動物都是軟體動物門、頭足綱、二腮亞綱、十腕目，再往下分，差別就很大了。

不過，這兩種動物的體型倒是都非常大。曾於自然史博物館展出的魷魚是二〇〇五年捕獲的，體長足足有九公尺，據說牠並不是世界上最大的十腕目動物，生活在南半球南極海域附近的大王酸漿魷身長能達十一公尺，體重達三百公斤，幾乎沒有天敵，輕易就能搞定一條抹香鯨。

歐洲歷史傳說中總會出現各種巨大的海怪，其原型很多就是這類大型軟體動物。比如，北歐神話裡著名的「卡拉肯」（Kraken）就曾在二〇一〇年的電影《超世紀封神榜》裡亮相，也在《神鬼奇航2：加勒比海盜》裡出現過。而人們在描述這種怪物時，通常會說「巨大的腕足把整艘船扯得粉碎」或乾脆說「整艘船被拖進海裡」。

雖然有些誇張，但如果翻看當時水手的記載，會發現他們似乎真的看過這類大型怪物。有的水手記載自己曾在海上遇過大海怪卻沒當一回事，因為以為那是一座島嶼，可見怪物身形之龐大。還有一則距離現在很近的記載寫道，一七八二年，整整十艘英國戰艦都被大烏賊似的海怪拖進了海底。

傳說和紀錄讀來令人毛骨悚然，人們則以此為基礎，不斷添油加醋。科幻巨匠凡爾納也在《海底兩萬里》中描寫過巨大的章魚巢穴。

另一方面，科學研究發現，這些紀錄可能有些過於誇大。雖然據說曾經發現的最大大王烏賊長達二十公尺，但事實究竟如何，仍待科學驗證。

英國自然史博物館裡的寶物遠遠不止於此，除了傳說中受詛咒的「德里紫藍寶石」、巨杉樹的橫截面，這裡還有多達二千種昆蟲標本，是世界上第二大昆蟲標本收藏地。另外，這裡也是《博物館驚魂夜》系列電影的取景地，電影中很多場景都取材自這座博物館。

CHAPTER 4

嘆為觀止的動物標本：美國自然史博物館

這座位於紐約第八大道的博物館由一座軍火庫改建而成，館內擁有頂級的海頓天文館，還有圖書館和巨大的4D太空劇場。電影《侏羅紀公園》和影集《六人行》都曾在這裡取景。

American Museum of Natural History

美國自然史博物館

上一章說到英國自然史博物館是電影《博物館驚魂夜》的取景地之一，但這系列電影的故事地點卻是設定在紐約的美國自然史博物館，第一集各場景幾乎都以這裡為原型。事實上，《博物館驚魂夜》並不是美國自然史博物館唯一一次躍入大銀幕，據說電影《侏羅紀公園》和影集《六人行》都曾來此取景。

第一本《超級導覽員趣說博物館》介紹大都會藝術博物館時，我曾經提過美國自然史博物館。從地理位置上看，美國自然史博物館離大都會藝術博物館很近，位於紐約第八大道上，兩間博物館之間是中央公園。

說到這，有人可能會打斷我：「美國自然史博物館不是在華盛頓特區嗎？」其實這是翻譯的問題。紐約這座博物館的英文全名是「American Museum of Natural History」，英文簡寫「AMNH」；華盛頓那座博物館的英文則是「National Museum of Natural History」，直譯應為「美國國立自然史博物館」，但很多人都譯成「美國自然史博物館」。

有意思的是，華盛頓和紐約這兩家博物館在電影裡有了交集。《博物館驚魂夜2》一開始，紐約的美國自然史博物館要把展品統統撤掉，全部打包裝箱移交給華盛頓的美國國立自然史博物館。班．史提勒（Ben Stiller）扮演的賴瑞問博物館館長：「這些傢伙要去哪？」館長回答：「史密森尼學會。」因為華盛頓的美國國立自然史博物館是史密森尼學會旗下眾多博物館的其中一間。史密森尼學會在華盛頓擁有十六間博物館，光是在國家廣場（The National Mall）兩邊就有十間。

紐約的美國自然史博物館雖然只有三千六百萬件藏品，但歷史相當悠久，創立於一八六九年，藏品的品質也相當不錯。這座博物館是由一座軍火庫改建的。最初的舊址已經不使用了，於一八七七年挪至現址。

年代雖久遠，美國自然史博物館的設施卻很新，除了擁有非常棒的大型天文館海頓天象館（Hayden Planetarium），還有一座收藏了五十萬冊圖書的圖書館和一個巨大的4D太空劇場。館藏包括了從宇宙大爆炸一直到現代的植物和礦物標本，各種動物標本和人體模型更是數不勝數。

說到美國自然史博物館，不得不提及它和幾任美國總統的關係。

一八七四年，南北戰爭中的北軍統帥格蘭特（Ulysses Simpson Grant）當上總統後，主持了博物館奠基儀式。一八七七年，繼任的總統海斯（Rutherford B. Hayes）主持了博物館開放典禮。但和這座博物館關係最密切的，非老羅斯福總統（Teddy Roosevelt）莫屬。

老羅斯福總統的父親是美國自然史博物館的創始人之一，他自己也是個十分熱愛大自然的總統，任內制定了很多法令保護大量的美國土地，並設置了自然保護區。一九一三年，老羅斯福總統參加由博物館籌組的探險活動時差點丟了性命，這段傳奇經歷讓博物館專門設置了一區為老羅斯福總統紀念堂。而電影《博物館驚魂夜》裡，老羅斯福總統更儼然是第二主角。

老羅斯福總統紀念堂的大廳裡有一組非常棒的恐龍化石模型。只見身軀龐大的重龍直立

海頓天象館夜景

老羅斯福總統紀念堂大廳

了起來，僅用兩條後腿蹬地，前肢雙雙伸出，阻擋異特龍的攻擊，重龍身後還有另一隻小恐龍，那是重龍自己的幼崽。

美國自然史博物館裡的恐龍化石和古生物化石非常多，從三角龍到霸王龍，從大袋熊到大地懶，但都沒有這一組恐龍有氣勢。

當初這三隻恐龍的化石在猶他州被挖掘出來時，的確是在一起的，但形成化石的那一瞬間，三隻恐龍是不是正好擺出如今這種姿態呢？可能性微乎其微。這組充滿想像力的造型明顯經過後人設計。此外，現今展出的其實是複製品，畢竟真正的恐龍化石光是一節頸椎就重達幾十公斤，普通的鋼架立不住，更何況重龍脖子長、尾巴也長，身體相當沉重，很難直立起來。

埃克利與栩栩如生的動物標本

老羅斯福總統紀念堂對面是埃克利非洲哺乳動物廳（Akeley Hall of African Mammals），以標本製作大師埃克利（Carl Akeley）命名。埃克利被稱為「現代動物標本之父」，他改進了標本製作的方法，也是噴射混凝土的發明者。

早期動物標本製作以「浸製」為主，也就是把動物放入酒精或甲醛溶劑裡浸泡，動物的模樣可想而知。後來標本製作方法有了改進：先切口，把動物內臟掏乾淨，再把保存液用注射器注入動物體內，程序和製作木乃伊差不多。

埃克利發明的方法則很簡單，先用黏土和石膏製作動物模型，再把動物的皮覆蓋上去，然後就大功告成了。這種方法不僅文明、簡單，製作出來的標本更是栩栩如生。埃克利進入美國自然史博物館後展開了一個宏偉的計畫，致力於打造「一整套非洲大陸」的標本，可惜直到他去世也沒能實現心願。這項大工程要到一九三六年才宣告完成。

一如電影《博物館驚魂夜》，美國自然史博物館把這些動物標本與背景圖畫拼在一起，連接得天衣無縫，非常逼真。這種做法同樣得歸功於埃克利，雖然這種營造立體空間感的方式今日我們早已習以為常，但在當時，絕對是個創舉。

非洲哺乳動物展廳的很多標本都是埃克利親手獵殺並製作的，陳列在大廳的八頭非洲象標本之中，有一頭母象還是老羅斯福總統親自獵殺的。

不過製作了多年的標本，埃克利對自己的行為也產生過質疑——我到底是在宣傳保護大自然，還是在破壞大自然？晚年，他把大量精力用於保護山地大猩猩，最終在保護山地大猩猩的探險途中去世。

而他當初提議建造的非洲哺乳動物廳，也終於成了現實，讓我們今天能夠親臨塞倫蓋提大草原、吉力馬札羅山，也讓大黑馬羚、扭角林羚、黑尾牛羚、湯氏瞪羚、河馬、美洲野牛……各種各樣的動物出現在眼前。

除了非洲哺乳動物廳，美國自然史博物館還有亞洲動物廳、太平洋鳥類廳，都延續了非

動物標本與背景圖畫融而為一

山地大猩猩

洲哺乳動物廳的風格，用「展窗」的形式展示著全球各地的各種動物。從海洋到高山，從灘塗到苔原，從太平洋到北極，從北美到非洲，所有類型的動物標本幾乎全數齊備，甚至連沙雞、松鼠、指猴、狐猴這些小型動物的標本都製作得一絲不苟。

如果你問我美國自然史博物館的鎮館之寶是什麼？我會說，所有這些動物標本合在一起，就是最讓人嘆為觀止的寶物。

若論單一展品，懸掛在海洋生物廳的二十九公尺長的藍鯨標本，應該算是鎮館之寶才對。這是二十世紀六〇年代在海灣擱淺的一條藍鯨，後來被製作成標本，懸掛在大廳中央。與英國自然史博物館二〇一七年換上的那條藍鯨一樣，這尊懸空吊掛的巨大藍鯨同樣造成了極大的壓迫感。

長達二十九公尺的藍鯨標本

豐富的印第安人文館

除了動物，當然也有人。

美國自然史博物館展出了各類「人」——當然不是標本，而是蠟像模型。從非洲人到因紐特人，從瑪雅人到印第安人，全球各類人種在此都有詳盡介紹。

其中，比較吸引人的是「印第安人文館」，分為東部林地印第安人廳、大平原印第安人廳和西北沿岸印第安人廳，展示了北美大陸上幾乎所有部族的印第安人蠟像，蠟像也做得非常逼真，如實顯示出美國這片土地本來的模樣。

距今約一萬五千年前，人類穿過白令海峽形成的陸橋來到了美洲大陸，從那時起，這塊大陸上便開始有了人類活動。對這些原住民來說，他們腦中並沒有「新大陸」這個概念。

約莫西元一千年時，有個叫艾瑞克森（Leifr Eiriksson）的維京人首先到了今天的紐芬蘭島一帶。相關史料顯示，艾瑞克森發現這裡的野生鮭魚和葡萄很好吃，並稱他發現的這個地方叫「文蘭」（Vinland），意思是青青大草原。然而，當時的維京人腦中應該沒有「新大陸」或「舊大陸」之分，再加上此時維京人繪製海圖的能力不夠強，導致這故事真偽難辨。近年也有人論證此說為假，艾瑞克森的紀錄純屬考古造假。

真正確定的所謂「發現」要等到十五世紀中葉，哥倫布發現新大陸。

認真說來，哥倫布挺倒楣。第一，他並沒有發現美國，他發現的不過是今天的巴哈馬群島，離佛羅里達還有一步之遙；第二，美洲沒有以他的名字命名，而是以義大利人亞美利哥（Amerigo Vespucci）命名；第三，哥倫布始終堅信自己到的是印度，認為他看到的人是印度人，也成了「印第安人」一名的由來。

網路上有種說法主張，印第安人是中國的商朝人，因商朝滅亡，遺民轉到了北美洲。所謂的「印第安」其實是「殷地安」，意指「殷商那地方現在平安不平安？」還有報導聲稱在美洲發現了商朝的甲骨文，讓人哭笑不得。

根據基因研究顯示，中國人身上的祖源標記基因是O，印第安人是Q，兩者唯一相同的只有同為黃種人。除此之外，毫無相似之處。

美國自然史博物館的印第安展廳裡有很多印第安人當年使用的武器，比如弓箭、長矛等，其中較引人注目的是印第安戰士頭上戴的鷹羽頭盔。我們熟悉的北美印第安人形象是插了一頭羽毛。事實上，這些羽毛每一根都有不同的象徵意義。比如，最顯眼的大白羽毛來自北美水禽，象徵力量和戰功，誰在戰場上立的功勞大，誰的羽毛就多；再比如，黑色羽毛來自烏鴉，象徵智慧；也有些部族會用猛禽的羽毛製作羽冠，據說頭上插了幾根就象徵殺了幾個人。有些部落的人為了嚇唬敵人，故意在頭上插上這樣的羽毛，藉機彰顯自身武力，嚇得敵人不戰而逃。

眾多印第安人用過的武器裝備裡，也包括了特里吉特人用過的古代戰甲。最奇怪的是，這些戰甲外面居然覆蓋著中國式銅錢，而且這些孔方兄上頭都有字，「康熙通寶」、「乾隆通寶」等。很明顯，這些銅錢是大航海時代之後，透過貿易途徑輾轉抵達美洲。當時的特里吉特人拿到這些銅錢後也沒處花，乾脆全用在身上，變成了結實的鎧甲。

比這些武器更顯眼的展品是一艘獨木舟。這艘長達十九．五公尺的獨木舟通體都是精心雕刻的彩繪。據博物館工作人員介紹，這種獨木舟不但能用於遠洋捕魚，還能用於海戰。

除了這些令人大開眼界的展品，美國自然史博物館最大的優勢在於它是一間非常現代化的博物館。

還記得嗎？像是大英博物館、巴黎羅浮宮，這些博物館的功能比較像是戰利品陳列廳，而美國的博物館雖然起步晚，卻格外注重博物館的教育功能。在美國自然史博物館經常能看到大批學生，他們常常就在博物館裡上自然課。而且在美國，類似美國自然史博物館這樣的博物館很多，華盛頓的美國國立自然史博物館藏品更是高達一億三千四百萬件，並擁有全球最多的昆蟲標本收藏。擁有這麼多好博物館，下一代年輕學子的眼界自然十分開闊，思維也更加寬廣。

Imperial War Museum

CHAPTER 5

武器也是文明的一環：英國帝國戰爭博物館

這座位於倫敦泰晤士河東岸的博物館與其他「收藏文明」的博物館不同，收藏的是「武器」，從一次世界大戰到二次世界大戰的裝備——除了航空母艦，這裡幾乎都有。

英國帝國戰爭博物館總館

這章要介紹一間以軍事為主題的博物館，那就是英國的帝國戰爭博物館。

說到軍事主題的博物館，朋友曾經問我：「博物館收藏的通常都是『文明』，軍事類博物館收藏的全是武器，武器是用來破壞文明的，這不是挑唆戰爭嗎？」

英國的帝國戰爭博物館一共有五個分館，劍橋南邊有一個分館，曼徹斯特有一個分館，這一章要介紹的是總館，位於倫敦市中心的泰晤士河東岸，只要順著著名的蘭柏宮（Lambeth Palace）一直往東走就能看見。

乍一看，這座教堂式建築好像沒什麼特別，稍微走近些卻會發現，門口居然有兩門大炮！一看就知道帝國戰爭博物館到了。

口徑三百八十公釐的巨炮

說起來，這兩門大炮也算是帝國戰爭博物館的鎮館之寶之一。這是兩門口徑三百八十公釐的巨炮，每一門都重達一百噸。通常情況下，口徑這麼大的炮多用於海戰，在陸地上若是這麼大的巨炮，只能蓋成炮臺或用火車才拉得動。這兩門炮的射程約為三十公里，大概就是從北京天安門廣場開一炮，最遠能打到河北的燕郊去。

但是，這兩門炮並不是世界上最大的艦載炮。二次世界大戰期間，著名的日本戰艦「大和號」主炮口徑廣達四百六十公釐，最大射程遠達到四十二公里，一炮就是一場馬拉松的距

門口的兩門巨炮

離，光是炮彈在空中飛這麼遠就需要整整一分半鐘。

那麼，帝國戰爭博物館這兩門大炮是怎麼來的呢？這背後的故事特別有意思。

當年，這兩門炮的主人分別是第一次世界大戰時的英國復仇級戰列艦「拉米利斯號」（HMS Ramillies）和「決心號」（HMS Resolution）。這兩艘戰艦生不逢時，入伍服役時一次大戰已近尾聲，二十年悠悠過去，等到二次世界大戰爆發時又已經落伍。

事實上，不單是這兩艘軍艦落伍，從風帆戰船時代開始，戰艦就是戰場上的主力，「大炮巨艦主義」一向是海戰的絕對主題，直到二次世界大戰爆發，海軍航空兵異軍突起，情況才改觀。

另一方面，戰艦本身也愈來愈大。比如二戰期間美國著名戰艦「密蘇里號」（UCS Missouri BB-63），改裝後的滿載排水量達五萬七千噸；前面說過的日本「大和號」更誇張，滿載排水量超過七萬二千噸。相比之下，「拉米利基號」和「決心號」的排水量只有三萬多噸，完全不是同一個等級。

整個二次大戰期間，這兩艘戰艦幾乎沒怎麼發揮作用，戰後很快被解體，船上的大炮就被搬到帝國戰爭博物館前來看守大門了。

馬克V型坦克：第一款用於實戰的坦克

踏入帝國戰爭博物館參觀，可看到幾乎所有從一次世界大戰到二次世界大戰的裝備——除了航空母艦，大部分能在博物館裡展示的，大到飛機、坦克、大炮、裝甲車，小到炮彈、探照燈、士兵的被褥和服裝，館內基本上都有。

這之中，我想介紹一件重要的展品，那就是一次大戰期間由英國生產的馬克V型坦克。看著這輛坦克會讓人不自禁想，早期的坦克長這樣？

今天的坦克似乎都長成同一個模樣：一個底盤，馱著一個可以自由旋轉的炮塔。然而，今日的坦克和最早期的坦克，使用目的並不相同。今日的戰場上，我們使用坦克主要是用於摧毀工事、及時提供移動火力支援，但在早期的戰場中，坦克是用來過溝的。

坦克這種武器於一九一六年的索姆河戰役（Battle of Somme）首次登場，成效相當驚人，經常僅用一輛坦克就攻下了一整個村莊，或俘虜了好幾百個德國士兵。

熟悉一次世界大戰的人可能都知道，一戰是一場發生得特別突然的戰爭，參戰雙方的作戰思維仍然停留在過去，衝鋒號一響，步兵蜂擁而上。哪知道機關槍、鐵絲網、地雷等讓防守方優勢大增，進攻方損失慘重，經常一天之內倒下幾萬人。

幾個回合打下來，大家都學聰明了，乾脆躲在塹壕裡對耗，同時開始大規模挖戰壕，尤其是西線戰場，挖得到處都是溝，大溝裡有小溝，小溝裡再挖小小溝。

坦克就在這種形勢下，應運而生。

當時在戰場上使用坦克的主要目的是為了破機槍陣、破鐵絲網、跨越壕溝，掩護步兵衝鋒，所以設計思路從一開始就集中在越野性能上。馬克坦克和後來一大批坦克都是菱形坦克，與今天的坦克完全不同，為什麼？正因為菱形坦克過溝能力強。

很多人可能認為馬克I型坦克（Mark I）是世界上第一款坦克。其實應該說，馬克坦克是人類歷史上第一款登上戰場進行實戰的坦克，但是第一輛進入實用階段的坦克是「小威利」坦克（Little Willie），也譯為「小遊民」坦克。

「小威利」坦克是馬克坦克的前身，它的下面是車身，上面馱著一個廂式車身，與現今的坦克很像，但實驗後發現不好用，最後還是採用了菱形的設計方案。為什麼不好用呢？因為和「小威利」相比，菱形坦克有一個巨大的優勢，即它的履帶是過頂的。履帶愈大、愈寬，與地面的摩擦力就愈大，跨越壕溝的能力就愈好。

我們今天在帝國戰爭博物館裡看到的馬克V型坦克是索姆河戰役之後，馬克I型坦克的改進衍生款。其實馬克坦克有很多衍生款，但從II型一直到X型，英國人都保留著過頂履帶的傳統。

中文講到「坦克」和「戰車」時常常混合著用，並沒有特別區分，「坦克群」往往被稱為「鋼鐵戰車的洪流」。其實英國人最初發明坦克時，並不是按照戰車的思路，而是按照戰艦的思路來設計的。

「小威利」坦克

馬克 I 型坦克

馬克 V 型坦克

一開始，英國陸軍並不同意設計坦克這種武器，真正感興趣的人是當時的海軍大臣、後來的首相邱吉爾。邱吉爾下令研發坦克，研發費用也由海軍提供，研發機構的名字就叫「陸地戰艦委員會」。換言之，最初設計坦克的思維是製造某一種「在陸地上戰鬥的戰艦」。

等到馬克坦克問世後，世界各國設計的坦克簡直是各種類型都有，千奇百怪，並明顯分成兩大類。

第一類是愈來愈大。這類坦克變得愈來愈像戰艦，基本上就是個「多炮塔神器」，每一輛上頭都安裝了好幾座炮塔。

法國就有一種坦克由造船廠建造，大家都忘了龐大的戰艦之所以可以在海裡航行，是因為海水有浮力，在陸地上卻行不通。戰艦做得愈大，重量愈重，就愈容易陷進泥裡。怎麼辦？英國人想了個特別的主意——在坦克車頂上放一大捆草席，一遇到泥濘就立馬鋪上。這種做法壞就壞在只要草席一著火，金屬一變形，坦克裡的士兵也活不了。再說，如果得鋪草席才能過溝，那還要坦克做什麼？

第二類是愈來愈小。大量的輕型和超輕型坦克登上了戰場，最輕型和今天的胖卡差不多，只有三噸多，現今豪華一點的家用型轎車通常也有兩噸上下了。

要這麼多輕型坦克做什麼？這與當時的作戰思維有關。這些輕型坦克主要配備在排級作戰單位，與其說是坦克，不如說是一種可移動的小口徑火炮或重型機槍。

二次大戰期間，納粹德國發明了將坦克集中在一起編成裝甲部隊的作戰方式，建立在此基礎之上的「閃電戰」講究奇襲、快速、集中火力，也在戰場上大獲成功。從那個時候開始，坦克的發展才走上後來大家熟悉的模式，也就是以中型坦克或主戰坦克為主。

開啟新思考模式的V－1導彈

除了飛機、大炮和坦克，帝國戰爭博物館還有很多有意思的小東西。比如說，像個大蛋殼一樣的鑄鐵物是英國在二戰期間設計出來保護重要人物的機動密封艙。艙門打開之後，蛋殼裡的空間可容納兩個人，供重要人物在緊急情況下躲避。人在這個蛋殼裡，一般情況下是不會受傷的。

若在博物館裡抬起頭，你會發現博物館大廳的半空中懸掛了好多飛機，有二戰時英國著名的噴火戰鬥機（Spitfire）、現代的獵鷹式戰鬥機。而在這些飛機下面，則懸掛著一個特別奇怪的「小飛機」，上面既沒有當時很普遍的螺旋槳，也沒有座艙，這就是德國在二戰後期發明的V－1導彈。

與今天的導彈相比，V－1導彈非常原始。簡單地說，V－1導彈的戰鬥部有八百公斤，以一臺脈衝發動機為動力，有兩個大翅膀。結構非常簡單，但它的最大貢獻是為後來的導彈，甚至是運載火箭、無人機，開啟了一種全新的思考模式。

很多軍事迷都知道，德國後來研製了威力更大、殺傷力更強的V－2火箭。但V－1和

英國帝國戰爭博物館內

V－2並非源自「同一家」。V－2火箭是德國陸軍部設計生產的，V－1導彈則是德國空軍設計生產的，兩款導彈無論是設計想法還是外觀，都很不一樣。

據說V－1導彈的設計過程相當艱辛。大家都知道，設計一種以前從未出現過的新式武器其實很困難，因為無法借鑑於任何現成的模式。一開始，這款導彈試飛多次都不成功，飛不了多久就會墜毀。為了解決這個技術難題，納粹德國空軍和幾家德國公司無不絞盡了腦汁，先用滑翔機牽引空投，不成功；再用飛彈自身動力助推，也不成功。後來一位名叫「漢娜」的女士坐了上去，非常勇敢地試飛一次

後，找到了技術問題的關鍵點。這次，V－1飛彈試飛成功了。

一九四四年六月，德國開始向英國發射V－1導彈，起初是試探性的，每天發射十幾枚，幾天後，襲擊規模提升到每天兩百多枚。這下英國的損失就大了，而且無論是用飛機攔截還是用高射炮打，V－1導彈不但不容易被打到，即便被擊落德國也沒什麼損失，因為導彈裡沒人，只是個帶著一臺廉價脈衝發動機的鐵殼。而且因為是低空飛行，雷達無法發現。熟悉這段歷史的人都知道，後來的V－2火箭襲擊效果相同，讓英國陷入被動狀態。

問題最後是怎麼解決的呢？

V-1 導彈

到了戰爭後期，由於德國的導彈發射陣地只在同一個地方發射，英國人經過測算後，直接用飛機轟炸德國的發射陣地，總算解決了V－1導彈的問題。

好了，說了帝國戰爭博物館裡這麼多武器和它們的故事，現在回頭來回答一開始那個問題吧——收藏了一堆武器的博物館，會不會挑唆戰爭？

關於這個問題，早在戰國時代就被討論過。當時有人主張「止戰」，與其相對的學說是「義兵」學說，以秦國的呂不韋為代表。《呂氏春秋》裡有句話振聾發聵：「爭鬥之所自來者久矣，不可禁，不可止。故古之賢王有義兵而無偃兵。」意思是說，戰爭是早就有的，你想禁是禁不了的，但只要你的戰爭是捍衛和平的戰爭，就沒有什麼可羞愧的。

誠然，不管什麼戰爭，沒有絕對正義的一方，我們當然想要永遠和平，但現實告訴我們，當我們的和平面對威脅，當人民的生命財產安全受到侵害，拿起武器，捍衛和平，也是理應之事。就像那句唐詩說的一樣：「乃知兵者是凶器，聖人不得已而用之。」

Museo Nacional de Antropología

CHAPTER 6

邊緣文明的回歸：墨西哥國立人類學博物館

如今被大眾普遍接受的世界歷史以歐亞歷史為主軸，美洲歷史成了一段幾乎被遺忘的歷史。事實上，美洲史是世界歷史的重要組成部分，如果你想了解這段歷史，參觀墨西哥國立人類學博物館是一個非常好的途徑。

這一章讓我們轉向美國南邊的墨西哥，了解一下對於研究美洲文化來說非常重要的墨西哥國立人類學博物館。

今天被大眾普遍接受的所謂世界歷史，其實是立基於以歐亞歷史為主軸的「歐亞世界史觀」。在這個視角下，我們總認為歐洲和亞洲才是歷史主線，其他地區和其他民族的歷史都是次要，甚至無關緊要，也因此出現了很多非常偏頗的說法和觀點。比如說，過去的歷史總說庫克船長「發現」了澳洲、哥倫布「發現」了美洲。事實上，當地土著早就在這些地方生活了好幾千年。

一旦視角更加開放，你會發現原來地球上曾經出現那麼多豐富多彩、燦爛輝煌的文明！人類的歷史絕不只是歐洲那幾艘船在大海裡航行，中國老百姓在陸地上耕種，遊牧民族在草原上放羊那麼簡單。人類的歷史其實非常多元，史書記載的恐怕連十分之一都不到。

在這之中，美洲歷史就是「被遺忘的歷史」中非常重要的一環。

一旦重新開始重視美洲歷史，我們可能會變得很恐慌，發現自己對美洲歷史知之甚少，以至於很多事情至今成謎，而這都是因為我們曾經抱著狹隘的世界史觀來研究歷史所造成的。

這一章要介紹的墨西哥國立人類學博物館是世界上收藏美洲大陸古代歷史文化極為豐富且重要的博物館之一，可能不像其他博物館那樣有名，重要性卻一點也不遜色。

墨西哥國立人類學博物館

奧爾梅克巨石頭像

首先要介紹的寶物是墨西哥國立人類學博物館收藏的奧爾梅克巨石頭像。

一九三六年，人們在墨西哥灣沿岸發現了很多用大石頭雕刻的頭像，最大的雕像高達三公尺多，重三十多噸。經研究得知，這些頭像都出自最早的美洲文明，也就是奧爾梅克文明（Olmec）。

從外觀看，石像的嘴唇很厚，有點非洲人的特徵。表情沉重，雙眼凝視前方，頭上還戴著有花紋的帽子或頭盔。最神奇的是，據專家考證，這些石像並不是就地取材後製造出來的，而是從幾百公里以外的地方做好再運來。

是誰雕刻了這些頭像呢？費這麼大的勁雕刻這樣的頭像又是做什麼用？雕刻好之後為什麼還要特意運到海邊？

二十世紀九〇年代，一些中國學者考察了包括奧

奧爾梅克巨石頭像

爾梅克巨石雕像在內的文物後，得出一個驚人的結論：奧爾梅克人是渡海到美洲的商朝後裔！＊

這個結論一經公布馬上震撼了史學界，一時之間，「殷人渡海論」影響非常大，持此觀點的學者提出了很多證據。其中最重要的一點是，他們從現存的奧爾梅克玉石片上發現了很多與甲骨文相似的陰文刻痕，並一一與甲骨文對照。

除此之外，奧爾梅克文化在很多方面似乎也與商朝文化有著非常神祕的聯繫。好比奧爾梅克文化堪稱美洲土著文化的祖師爺，但它自己的起源卻非常神祕，沒人說得清楚。針對奧爾梅克人從何而來這個問題，後人只能根據遺存，推斷約莫始於西元前一千年，而這個時間點，正好和商朝滅亡的時間點接軌。

此外，包括奧爾梅克文化在內，之後的瑪雅文明、托爾特克文明（Toltec）、阿茲特克文明，統統都崇拜羽蛇神，而羽蛇神的形象是渾身長滿羽毛的大蛇，與騰雲駕霧的中國傳統龍的形象有些相像。再者，美洲地區從奧爾梅克文化開始就崇尚活人獻祭，也和殷商時代大搞活人獻祭類似。至於巨石頭像，有些學者順理成章認為是古人特意把巨石像放在海邊，面

＊此處只當成假設，其學術論點並不科學。詳見《中國與大洋洲、美洲古代交往的探討》——一九八四年張小華《中國史研究動態》；《殷人東渡美洲新證》——二〇一一年范毓周《尋根》；《古代美洲奧爾梅克玉器匡謬——兼論古代中國與美洲的交往問題》——一九九二年龔纓晏《世界歷史》。

朝故國，思念殷商，讓後人牢記自己從哪裡來。

乍聽之下這些論點很有道理，因此有一段相當長的時間裡，歷史學界幾乎認定了這種說法。畢竟根據研究，美洲土著也是黃種人，讓中國學者總有種遐想，覺得他們與我們東方民族，尤其是中國人，一定有關係。

但是，再美好的遐想若拿不出可靠證據，也不能成為結論。隨著近年進一步研究，學者逐步發現，很多之前支持「殷人渡海論」的所謂證據，其實都靠不住。

比如說，近年研究發現，所謂的甲骨文玉石片，事實上在出土時就已經過二次加工。這些玉石片原本是圓柱、牌子之類的東西，後來被古人磨成了玉石片的模樣，並以玉石片的模樣出土。上面刻的也不是字，最早本來是完整的圖畫，比如羽蛇神、雨神、玉米神，但拿來一磨，大部分的畫被磨掉後，剩下的殘存刻痕看起來就和甲骨文很像。

至於巨石頭像，根據學者研究，與思念殷商也沒有關係。當時，奧爾梅克人的不同部落之間流行一種有宗教祭祀意味的球賽，誰輸了就要被砍下頭顱，獻祭給神。這些頭像戴的帽子，就是當時比賽使用的護具。

對此，持「殷人渡海論」的學者明顯表示不服。

的確，美洲原住民和殷商之間，存在太多無法忽視的巧合了。除了崇拜羽蛇神、崇尚活人獻祭，奧爾梅克人和其後的特奧蒂瓦坎文明（Teotihuacán）、瑪雅文明都非常喜歡玉器。商朝人有多愛玉，不需要在這裡贅述。美洲原住民呢？似乎也一樣。

墨西哥國立人類學博物館裡有一座非常完整的瑪雅文明古墓葬——帕倫克（Palenque）王墓。隨葬品中包含了大量的玉器。墓主國王巴加爾二世（K'inich Janaab' Pakal，又稱巴加爾大帝）脖子上戴著玉石穿成的項鍊，臉上罩著非常完整的翡翠面具，和中國的金縷玉衣極為雷同。

關於這座墓，很值得多說幾句。一九五二年，墨西哥考古學家魯茲（Alberto Ruz Lhuillier）和他的考古隊正在考察帕倫克古城的碑銘神廟（Temple of the Inscriptions）時，魯茲發現，神廟大殿的地板上有兩個孔。考古學家的敏銳嗅覺告訴他，孔下面肯定大有文章。果然，地板可以打開，魯茲一行人向下探察，發現了一個堆滿沙土的樓梯間，再繼續往下，就發現了震驚全世界的巴加爾大帝之墓，隨葬品中有很多玉製品。

事實上，不僅這座墓葬裡有很多玉器，墨西哥國立人類學博物館裡還有更多美洲原住民熱愛玉器的大量證據。舉例來說，有一尊「獸頭勇士」雕塑，只見一位大聲呼喊的勇士頭上罩著一個嘴巴大張的獸頭，勇士的臉則從獸嘴裡露出來，整尊雕塑都是用玉石片組成。

又是崇拜羽蛇神，又是活人獻祭，又是喜愛玉器，這些美洲文明和殷商文明之間，到底有沒有關係？

據近一、兩年研究，專家得出一個新結論——如果非要說美洲原住民是殷商後裔，顯然缺乏證據。考古證明，美洲有人類活動的歷史其實很早。有的觀點認為距今大概兩萬多年前的美洲就有人類活動，有的觀點則認為一萬多年前。可以肯定的是，不管哪一個，美洲有人

帕倫克王墓

帕倫克王墓

類活動的時間都比殷商要早得多。而兩地文明之間很多地方「神似」的情況，很大程度說明兩者是同一個「母文明」的產物。換句話說，美洲古文明和殷商文明很可能來自同一個更早的文明。這確實不無可能，根據生物學和人類學研究，同一個母文明相繼開花結果成為不同的文明，並非沒有先例。所以同一個母文明後來分別演化出殷商文明和美洲文明，也就不算什麼新鮮事了。

阿茲特克文明

參觀墨西哥國立人類學博物館，不可能不留意到阿茲特克文明。

阿茲特克文明的年代遠遠晚於奧爾梅克文明和特奧蒂瓦坎文明。阿茲特克人是由北方遷徙過來的，南下之後消滅了一些原有的部落。據說阿茲特克人的戰神「維齊洛波奇特利」（Huitzilopochtli）指引他們，要找一個會有一隻老鷹站在一株仙人掌上啄食一條蛇的地方定居。阿茲特克人在特斯科科湖某座島上看到了這幕奇景，於是定居了下來，並打造了首都特諾奇提特蘭（Tenochtitlan）。今天墨西哥的首都墨西哥城就是建造在特諾奇提特蘭的基礎之上。阿茲特克人自稱「墨西卡人」，因此後來才有了墨西哥城，又有了墨西哥這個國家。

特諾奇提特蘭後來毀於一五二一年的西班牙人占領。一五一九年，西班牙殖民者科爾特斯（Hernán Cortés）帶著一支不到一千人的部隊，對阿茲特克帝國發動了侵略。最終，與其他大部分遭受殖民者入侵的文明一樣，阿茲特克人被打敗了。

雖然阿茲特克人的武器裝備很落後，但文明發展水準很高。阿茲特克人在天文、曆法、建築、醫療、公共衛生等方面都遠遠超越了當時的歐洲。那時的阿茲特克人已經使用草藥為病人治療，歐洲的治病法還是催吐和放血。阿茲特克人經常清潔身體，歐洲人長年累月不洗澡。

就拿阿茲特克首都特諾奇提特蘭來說，是當時西半球最大的城市不說，人口將近二十萬，而且這座面積近十三平方公里的城市居然全是人工建造的人工島。這座蓋在特斯科科湖正中心的城市有三條寬闊筆直的大道通往外面的陸地，整個城市都在湖平面以下，用三道大堤和水閘來控制湖水的漲落。如此成就，當時的歐洲人絕對自愧不如。

然而，阿茲特克人在武器方面卻相當落後，別說火槍或火器，連戰車的輪子都還沒發明出來。可見A文明與B文明相比，很難說哪一方更先進，只能說各有千秋。就像歐洲的蠻族雖然消滅了羅馬帝國，但並不能說蠻族比羅馬帝國更進步。

另一方面，即便到了今天，當我們看到墨西哥國立人類學博物館館藏的阿茲特克文明遺跡時，仍會不自禁讚賞他們的高度文明。比如說宛如磨盤的太陽曆法石（Stone of the Sun）和月亮曆法石（Moctezuma's Stone）。十六世紀西班牙侵占阿茲特克時，毀滅了整座城市，這兩塊曆法石卻倖免於難。當地人為了保護它們，一直把它們掩埋起來，直到一七九〇年才被發現。

太陽曆法石

從這兩塊石頭上可以看到，阿茲特克人認為創世初期的四種基本元素是虎、水、風和火，並把一個月定為二十天，每天分別由蛇、死神、蜥蜴、水、狗、猴等不同的元素來代表*，不斷輪轉下去，類似中國的天干地支紀年法。阿茲特克人認為世界分為五個太陽紀，已經過去了四個太陽紀，現在我們正處於第五個太陽紀。

阿茲特克人的曆法石直接繼承自瑪雅人，瑪雅人也有類似的紀年法。這不免讓人想起了二〇一二年那場沸沸揚揚的「世界末日」鬧劇。

到底「世界末日」的謠言怎麼來的？

原來，瑪雅人有一種叫「卓爾金曆」（Tzolk'in）的曆法，一年分為二百六十天；另外還有一種「哈布曆」（Haab），一年共十八個月，每個月二十天，每年再加五天，一年總共三百六十五天。

瑪雅人同時使用這兩種曆法，就像我們國曆和農曆並行一樣。這兩種曆法每隔五十二年會碰上一個相同的年節，所以瑪雅人以五十二年為一個輪迴，並在這樣的輪迴之後全部歸零。

那怎麼計算直線時間呢？瑪雅人發明了一種「長紀曆」（Long Count）以配合卓爾金曆

---

*〔德〕白瑞斯（Berthold Riese），王霄冰．瑪雅、阿茲特克曆法與世界末日神話〔J〕。民間文化論壇，二〇一二（〇四）——作者注

和哈布曆。長紀曆非常複雜，採取一種奇怪的混合進制。比如說，每二十天算一個「維納爾」，每十八個維納爾算一個「通」，每二十個「通」算一個「喀通」……這樣算下來，到了最高進位時——瑪雅人認為最高位的數字最多只能到十三——寫成「13.0.0.0.0」，換算成天就是一百八十七萬二千天，五千一百二十五點二五年。後來的阿茲特克人稱這個數字為一個「宙」。

瑪雅人認為「時間的起點」相當於西曆的西元前三一一三年，按這樣算下來，所謂的「世界末日」就是西元二〇一二年。因此二〇一二年並不是世界末日，只不過是瑪雅人計算年數的最大數值罷了。但由此我們也能看出，美洲古文明在天文、曆法、數學等方面都取得了非常高的成就。

今天再看這些文明，往往感覺非常神祕。以前出現過很多關於瑪雅文明、阿茲特克文明、印加文明的傳說，比如有人從浮雕壁畫上看出太空人和飛行器的圖案，在神廟裡找到神祕的水晶骷髏頭，發現了瑪雅人和外星人之間的關聯等，這些說法有的有點道理，有的純粹是藝術想像。但無論如何，墨西哥國立人類學博物館會讓你知道——至少這一點是可以肯定的——這些孤懸在歐亞大陸之外的遙遠文明，非常發達、非常先進，絕對值得我們重新審視其價值。

CHAPTER 7

最密集的博物館群：柏林博物館島

施普雷河流經柏林的地方有座小島，上面有五家博物館，被稱為柏林博物館島。其實整個柏林的博物館很密集，總共有一百七十多家。博物館島是普魯士普及國民教育的直接產物，對現代博物館的發展具有重大意義。

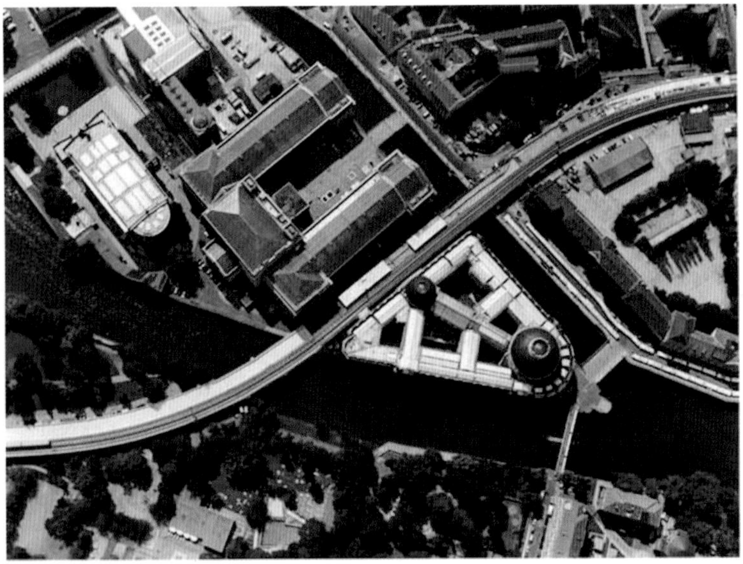

博物館島鳥瞰

這一章我要一口氣介紹五間博物館，分別是德國柏林著名的柏林舊博物館（Altes Museum）、柏林新博物館（Neues Museum）、博德博物館（Bode-Museum）、舊國家美術館（Alte Nationalgalerie）和佩加蒙博物館（Pergamonmuseum），它們構成了柏林的博物館島。

倫敦有泰晤士河，巴黎有塞納河，德國首都柏林則有施普雷河。施普雷河流經柏林市中心的地方有座小島，名叫施普雷島，島上直到十七世紀還有一座普魯士國王的後花園。

一八三〇年，施普雷島上興建了第一間博物館，也就是皇家博物館（Königliches Museum），又稱「舊博物館」，之後陸續出現了本章要介紹的五間博物館，最後的佩加蒙博物館完工時已是一九三〇年。博物館島於二次世界大戰期間遭到破壞，直到德國重新統一之後才開始重建，並於一九九九年被聯合國教科文組織列入世界文化遺產名錄。

普魯士人為什麼要在這座小島上密集興建博物館呢？

首先，不是這座小島上有密集的博物館，而是整個柏林的博物館都很密集。二〇一七年的官方統計數字顯示，柏林有一

柏林舊博物館

柏林新博物館

百七十多家博物館，僅公立博物館就有二十二家。這個數量放到世界上排前幾名都不成問題，而柏林的城市人口只有三百五十多萬。

柏林能在博物館建設方面擁有如此傲人成就，與普魯士王室的指導方針脫離不了關係。一七九七年德國尚未統一時，柏林還是普魯士的地盤，在普魯士國王腓特烈·威廉二世（Friedrich Wilhelm II）的指示下，決定要在島上興建博物館。到了他兒子腓特烈·威廉三世（Friedrich Wilhelm III）的時代，博物館總算落成並對大眾開放。

不過，這對國王父子檔之所以這麼做，絕非一時興起。

威廉二世是個非常熱愛藝術的人，也是一開始提出要興建博物館的人，贊助過莫札特和貝多芬不說，莫札特還特地為他寫了一齣戲。但他為什麼想蓋博物館呢？主要和當時啟蒙思想的興起有關，君主制開始遭受到挑戰，俄國的葉卡捷琳娜二世（Catherine the Great）就急急忙忙以「開明君主」自詡。

威廉二世也一樣，為了凸顯自己是一位「開明君主」，便提出把王室花園改建成博物館並對公眾開放的計畫。意思是說，國王我雖然不同意人民當家做主，但是我很開明，把私家花園都貢獻了出來。

等到他兒子威廉三世繼位時，想不開明也不可能了，因為大革命來了，拿破崙戰爭席捲歐洲。普魯士一開始保持中立，但第四次反法同盟時在俄羅斯沙皇亞歷山大一世（Alexander I of Russia）的教唆下，威廉三世決定加入反法同盟。

舊國家美術館

要特別說明的是，威廉三世這麼做有其苦衷。普魯士從條頓騎士團時代就有軍國主義的傳統，腓特烈大帝當年的普魯士軍隊可說是歐洲的樣板軍隊，戰鬥力極強。誰也沒料到到了威廉三世時，普魯士軍隊與拿破崙軍隊一交手，立刻被揍得滿地找牙。一八〇六年耶拿戰役更是全軍覆沒，導致柏林被法軍占領，霍亨索倫王室倉皇出逃。一八〇七年，普魯士不得不割讓十六萬平方公里的土地給法國。

曾經那麼強大，如今怎麼打不過拿破崙呢？普魯士痛定思痛，決定改革，首次提出「教育興邦」的口號，名言「我從未聽說過哪個國家是因為辦教育而辦窮、辦到亡國的」就是出自威廉三世之口。這也不是他說過唯一一句霸氣的話，最振聾發聵的是「科學無禁區，科學無權威，科學即自由」。

在這樣的背景下，柏林出現一座博物館島不足為奇，博物館島也成為普魯士普及國民教育的直接產物。而對現代博物館的發展來說，博物館島的誕生同樣意義

佩加蒙博物館

博德博物館

重大。

如今前往博物館島參觀時，首先映入眼簾的是雄偉壯觀的柏林大教堂（Berliner Dom），廣場另一側和大教堂相對而望的，就是博物館島的第一間博物館，柏林舊博物館。

普魯士知名建築大師申克爾（Karl Friedrich Schenkel）充滿熱情地設計了這座新古典主義風格的建築。兩層樓高的博物館正面矗立了十八根愛奧尼亞式圓柱，是一棟典型的希臘式建築，中央的圓形大廳則仿照古羅馬的萬神殿而設計，非常莊重。額枋*上刻著拉丁語的銘文：「腓特烈・威廉三世為學習古典文化和自由藝術於一八二八年設立博物館。」

緊接在柏林舊博物館的後面是柏林新博物館和舊國家美術館，它們後面是佩加蒙博物館，最後一排則是博德博物館。

「美人來了」：娜芙蒂蒂像

博物館島上最出名的展品，首推柏林新博物館的娜芙蒂蒂像（Nefertiti）。

娜芙蒂蒂像出土於一九一二年的埃及阿瑪納遺址（Amarna），被發現時幾乎還是完好的。這尊使用複合材料製作的頭像光是眼睛就用了好幾種原料：眼白用白堊石，瞳孔用黑色

*額枋，即匾額。枋是指兩柱之間產生聯繫作用的橫木，其斷面一般為矩形。

娜芙蒂蒂像

水晶。整尊總共用了六種顏色，歷經幾千年卻不見褪色，非常神奇。

雕刻手法上，娜芙蒂蒂像相當寫實。顴骨有點高，頸部很長，眉毛彎彎，鼻子小巧，是位難得一見的大美女。也難怪，畢竟「娜芙蒂蒂」這個名字的意思就是「美人來了」。她是古埃及第十八王朝的王后，相傳也是古埃及所有王后裡最美麗動人的一位。

二〇〇二年，美國約克大學研究團隊針對古埃及帝王谷裡編號六一〇七二的木乃伊進行了研究。結果發現，這具木乃伊很可能就是歷史上真實的娜芙蒂蒂。更讓人興奮的是，研究人員還原出來的人物原貌和柏林新博物館收藏的娜芙蒂蒂像幾乎沒什麼區別。換句話說，真正的娜芙蒂蒂，確實有可能擁有驚為天人的美貌。

不過，這位王后最值得研究的並不是其容貌，而是她的身世。

娜芙蒂蒂本人非常神祕，光是她的出身就讓專家很難下定論，而且她在三十歲前後神祕地消失了。另一方面，娜芙蒂蒂在古埃及歷史上非常有名，古埃及法老圖坦卡門（Tutankhamun）就是娜芙蒂蒂名義上的兒子。

娜芙蒂蒂的夫君、圖坦卡門的父親，則是赫赫有名的埃及第十八王朝法老阿肯那頓（Akhenaten）。阿肯那頓雖然不像拉美西斯二世（Ramesses II）那樣戰功赫赫，卻做了一件驚世駭俗的大事——發起宗教改革。

最早，古埃及人信仰拉神（Ra），也就是太陽神。西元前二千一百年前後，古埃及定都底比斯，拉神和當地的阿蒙神互相融合為「阿蒙拉」（Amon-Ra），也成為此後數百年古埃及的最高神祇。

阿肯那頓剛繼位時，名字是「阿蒙霍特普」，意指「阿蒙的僕人」，後來他宣布放棄信仰阿蒙神，改信阿頓神（Aten），除了改名為阿肯那頓，意指「阿頓的僕人」，還把都城從底比斯遷到了新建的埃赫塔頓。

娜芙蒂蒂頭像的本尊娜芙蒂蒂貴為王后，和阿肯那頓共用王位，都是國家的最高統治者，身兼法老和最高祭司。娜芙蒂蒂全力支持丈夫，地位崇高，據說相當受到民眾愛戴。為了徹底消除阿蒙神的影響，娜芙蒂蒂和阿肯那頓下令破壞全埃及的阿蒙神廟。

這樣做其實有點不明智，相當於把權力從祭司們手裡強搶過來。如此激進，似乎注定會失敗。果不其然，阿肯那頓死後，所有他創建的東西又被打倒了，他的兒子照樣信奉阿蒙神，名字也改成了圖坦卡門。

阿肯那頓到底為什麼突然發動改革呢？

雖說當時的底比斯祭司集團掌握了太多權力，法老的權威和神性都受到很大的挑戰，阿肯那頓如果不改革，很可能成為祭司們的傀儡法老。但明明貴族和軍隊幾乎沒人支持他，他是哪裡來的魄力？

根據研究，阿肯那頓本人的性格相當隨和，甚至有點軟弱。像他這種生於深宮之中，長於婦人之手的少爺，居然能做出這麼有計畫、有預謀的事，真的很難想像。

因此，娜芙蒂蒂在這次宗教改革裡究竟扮演了什麼角色，難免讓人浮想翩翩。有的學者說，真正做決定的是娜芙蒂蒂，阿肯那頓不過是個傀儡；有的學者說，娜芙蒂蒂謀殺了阿肯那頓，並用替身維持統治。還有一種說法更激進，主張阿肯那頓和娜芙蒂蒂其實是同一個人！阿肯那頓的雕像也確實長得和娜芙蒂蒂頭像十分相似。

如果約克大學專家研究的六一〇七二號木乃伊真的是娜芙蒂蒂，很多問題都將迎刃而解。首先，這個人是真正存在的。再者，研究指出這具木乃伊曾遭受酷刑或毀屍，也就是說，古埃及祭司集團很可能對阿肯那頓的宗教改革進行過血腥的反攻。

由於年代太過久遠，今天歷史學家的很多說法僅只於推測，娜芙蒂蒂像的背後，仍然籠罩著無數的歷史謎團等待破解。

佩加蒙祭壇：佩加蒙博物館的起點

英國人把神廟整個放入大英博物館，德國人也把祭壇整座搬進了佩加蒙博物館，也就是博物館島上另一件不能不看的藏品——佩加蒙祭壇（Pergamon Altar），又叫宙斯祭壇。博物館島的佩加蒙博物館最初就是為了收藏這座祭壇而建。

佩加蒙祭壇就放在佩加蒙博物館一進門的地方，底座的長和寬都超過三十公尺以上，光是祭壇的臺階就寬達二十公尺，氣勢非常雄偉。

德國於十九世紀後期崛起，並於一八七七年完成統一。強盛後的德國認為歐洲的老傳統不能忘，迫切想在古希臘文物收藏方面趕上英、法，打上了佩加蒙祭壇的主意。從一八七九年開始，由柏林皇家博物館出面，將整座佩加蒙祭壇搬到了德國，土耳其原址只剩下一個大土包。

必須說清楚的是，佩加蒙祭壇不完全算是德國搶來的，當時的土耳其確實存在破壞遺址的行為，土耳其人甚至在遺址上弄了座採石場。德國雖然挪走祭壇，的確也保護了它。

佩加蒙最初不過是愛琴海東岸的一個小國，也有人譯成「別迦摩」或「帕加馬」。西元前三世紀，亞歷山大大帝駕崩，手下大將利西馬科斯（Lysimchus）占領了一塊地方，定都佩加蒙。利西馬科斯死後，土地被另一位亞歷山大舊將塞琉古一世（Seleucus I Nicator）建立的塞琉古王國吞併。後來趁著塞琉古王國內亂，阿塔羅斯一世（Attalus I）獨立，才又重

佩加蒙祭壇

新建立了佩加蒙王國。

當時，凱爾特人的其中一支流落到高盧一帶，轉而成了高盧人的一支，一般稱之為加拉太人。佩加蒙剛復國時，正是他們最倡狂的時期，在小亞細亞（今土耳其）一帶收了很多年保護費，當地的小國家都不敢惹這批無賴，只能乖乖交錢。

但是，剛復國的佩加蒙不願意聽這些高盧人的使喚，保護費要到阿塔羅斯一世頭上時，他立即拒絕了，雙方隨後打了起來。誰也沒想到，剛復國的小國英勇奮戰，一舉打敗了強大的高盧人。備受鼓舞的新生小國決定熱烈慶祝，佩加蒙祭壇據說就是為了慶祝此次勝利而興建。

佩加蒙祭壇最壯觀的，無疑是由大量浮雕組成的「浮雕帶」，一組又一組的浮雕形成了故事上前後串聯的浮雕群，既有故事，

又有順序。關於「浮雕帶」還有個小插曲。二十世紀九〇年代，專家發現原先的浮雕組裝順序不對，整個重新編排了一遍。

這些浮雕分成兩大主線。第一條是古希臘神話浮雕帶，刻畫的是奧林匹斯眾神和泰坦巨人之間的戰爭；另一條是泰勒弗斯浮雕帶，刻畫的是古希臘神話中大力神海克力斯之子泰勒弗斯（Telephus）一生的豐功偉績，因為佩加蒙人視他為國家神話的創始人。

這兩條浮雕帶描繪了古希臘神話中的各種神，人物眾多，全部都是高浮雕，造型非常立體，栩栩如生。祭壇上還有一大堆獨立雕像，比如半人馬、獅子、獅鷲等，宛如一座古希臘雕塑藝術大型寶庫。

若從歷史的角度來看，佩加蒙其實已是古希臘文化最後的陣地，佩加蒙祭壇也

米勒圖斯之門

因此成為古希臘文化最後的一點榮光，雕刻上的許多細部正逐步往羅馬式文化過渡。比如說，有的場景會出現柱子，暗示這個故事發生在室內，正是典型的古羅馬手法。

除了佩加蒙祭壇，德國人似乎對於蒐集一整套的古遺址上了癮。

佩加蒙博物館還收藏了古羅馬的「米勒圖斯之門」（Market Gate of Miletus），整整一面城牆；十七世紀伊斯蘭文化的典型代表「阿勒坡房間」，整整一個房間；巴比倫的「伊絲塔城門」（Ishtar Gate），整整一面城牆和城門，連同巴比倫整條中央大道，一起被挪到了這裡。

歷史上曾有過兩個巴比倫王國。一個是古巴比倫，也就是制定《漢摩拉比法典》的那個王朝。伊絲塔城門則是新巴比倫都城的大門。新巴比倫興起於古巴比倫滅亡一千多年之後，最出名的君主是修建了古代世界七大奇蹟之一「空中花園」的尼布甲尼撒二世

阿勒坡房間

伊絲塔城門

（Nebuchadnezzar II）。

德國人真的是相當有耐心。組成佩加蒙祭壇的是一面面浮雕、一根根柱子，他們原封不動地按順序搬遷過來也就算了，伊絲塔城門和整個中央大道都是新巴比倫時代的建築風格——由小磚組成的，很多甚至是馬賽克——他們照樣一塊塊按編號搬過來，甚至將原本殘缺不全的遺跡一點一滴復原，把城牆、城門、大道、各種浮雕統統都補全了。

柏林博物館島的精品不勝枚舉。博德博物館的雕塑、舊國家美術館收藏的莫內等大師的真跡、柏林舊博物館的「柏林女神」雕塑等，都非常值得一看。

此外，博物館島上這幾座博物館建築本身就是精品，柏林舊博物館仿古希臘衛城和古羅馬萬神殿、博德博物館仿著名的波茨坦無憂宮（Schloss Sanssouci），細節設計得極其精美奢華。

Château de Versailles

CHAPTER 8

「法國的圓明園」：法國凡爾賽宮博物館

凡爾賽宮是法國最著名的宮殿，相當於「法國的圓明園」。這座宮殿的前身是法國國王路易十三打獵用的離宮，經過路易十四的改建後，成為全法最大的宮殿，富麗堂皇的宮殿本身就是件價值連城的藝術品。

凡爾賽宮鳥瞰

這一章要介紹法國最著名的宮殿，也是全世界知名的宮殿建築之一——凡爾賽宮。法國的「宮」特別多，愛麗舍宮（Palais de l'Élysée）、杜樂麗宮（Palais des Tuileries）、羅浮宮、楓丹白露宮（Château de Fontainebleau）、凡爾賽宮、巴黎大皇宮（Grand Palais），它們的功能並不一樣。

愛麗舍宮是今天法國總統辦公的地方，相當於美國的白宮，前身是拿破崙手下元帥繆拉（Joachim Murat）的私人宅第；杜樂麗宮相當於紫禁城，曾於巴黎公社時期被焚毀；羅浮宮早期也是王宮，從十六世紀開始慢慢變成博物館；楓丹白露宮則有點類似避暑山莊或頤和園，是法國國王別墅離宮式的休閒場所。

眾多宮殿裡，唯有凡爾賽宮獨樹一幟。一句話，凡爾賽宮就是法國國王的圓明園。

只不過，凡爾賽宮比圓明園小多了。如果僅從占地面積來看，凡爾賽宮是世界第一大的單一宮殿，比北京故宮還大。北京故宮的占地面積是七十二萬平方公尺，凡爾賽宮是一百一十一萬平方公尺，其中建築占地面積為十一萬平方公尺，庭園面積廣達一百萬平方公尺。凡爾賽宮還擁有大大小小共二千三百多個房間，各種珍貴家具五千多件。但就算如此規模，凡爾賽宮還是無法和圓明園相比。圓明園在極盛時期的占地面積約合三百五十萬平方公尺，比紐約曼哈頓的中央公園還大。

凡爾賽宮所有景致裡，水系和噴泉可說是最大看點。整個庭園擁有一千四百個噴水頭，構成了美輪美奐的噴泉系統。

長達一・六公里的十字形人工運河是庭園水系的核心。路易十四當年曾下令在運河上進行戰船海戰表演，還叫人弄來「貢多拉」小船模仿威尼斯水鄉的場景。凡爾賽宮水系規模之龐大，可見一斑。值得一提的是，乾隆皇帝後來在圓明園裡修建「西洋樓」景區，遠瀛觀、大水法等一系列景點，都是參照凡爾賽宮修建的。

「太陽王」路易十四與凡爾賽宮的故事

但是，凡爾賽宮並不是一開始就這麼大。這座宮殿的前身是法國國王路易十三打獵用的離宮，起初規模很小，後來之所以變成法國第一大宮殿，全是因為路易十三的兒子路易十四。

看過電影《鐵面人》的人應該對路易十四不陌生——那個腦袋被套上鐵箍的王子。據說歷史上確實有過這麼一位神祕的「鐵面人」，大作家大仲馬還把他寫進了小說裡。

真實歷史上的路易十四，全名路易・迪厄多內・波旁（Louis XIV, Louis-Dieudonne）。他是不是法國歷史上最偉大的君主，仁者見仁，但說他是波旁王朝中最重要的君主，恐怕沒什麼異議。他在滿清入關前一年的一六四三年繼位，直到康熙五十四年的一七一五年才過世，執政長達七十二年，是歐洲歷史上在位最久的獨立君主。路易十四治下的法國成了歐洲大陸的霸主，他本人也好大喜功、奢華無度，凡爾賽宮就是其典型奢華生活的產物。

很多人可能不知道，凡爾賽宮其實是路易十四與大臣嘔氣的結果。

一六六一年，年僅二十三歲的路易十四受邀前往財政大臣富凱（Nicolas Fouquet）的新宅邸參觀，沒想一看到他家比王宮還富麗堂皇，年輕氣盛的國王馬上把富凱抓了起來，抄沒家產，判處無期徒刑。

緊接著，路易十四找來富凱宅邸的設計師，再找了路易十三當初蓋狩獵行宮的地方——一塊巴黎西南郊的沼澤地，命令他們為自己設計一座大宮殿。

這幾位倒楣的設計師包括建築師勒沃（Louis Le Vau）、畫師和室內裝潢師勒．布朗（Charles Le Brun）、園林設計師勒諾特爾（André Le Notre），他們使出了渾身解數，大興土木。二十年後，銀子淌成了海水，凡爾賽宮的主體結構直到一六八八年才竣工，宮廷卻在一六八二年就迫不及待地遷入。因此事實上一直到路易十六的時代，凡爾賽宮都不斷地在擴建和裝修。

一提到凡爾賽宮，想不提路易十四都難。凡爾賽宮的一磚一瓦、一草一木，全透著這位國王的影子。

路易十四是絕對君主制的典型代表，自稱「太陽王」的他經常把自己打扮成太陽，登臺演出，名言是「朕即國家」（l'etat, c'est moi）。可想而知，在歐洲歷史上，幾乎沒有哪一位君王的奢侈程度能和他相提並論。

路易十四的生活到底多奢華呢？這裡舉幾個小例子。

凡爾賽宮

首先，路易十四有「嗜床癖」，倒不是說他愛睡懶覺，而是他喜歡打造精美的大床。僅僅在凡爾賽宮裡，為他準備的各種床榻就多達四百一十三張，其中光是特大號的床就有一百五十五張。每張床都用了大量的木雕、點金等工藝手法，還用各種珍禽的羽毛裝飾，鋪張浪費到了極點，精美程度自是不言而喻，據說華麗程度堪比教堂祭壇。路易十四御駕親征時，甚至要隨從們抬著比快艇還大的龍床上戰場。

睡覺都這麼費勁，更不要提穿衣服了。

根據記載，路易十四有次接見外國使節，身上穿的禮服鑲嵌了價值一千四百萬法郎的鑽石，整套衣服的價格相當於今天的六萬五千美元。由於身高只有一百五十六公分，路易十四發明了高跟鞋，平常穿的每雙高跟鞋都以絲綢製作，平紋配飾，真金上光，奢華富貴。當時的法國宮廷裡還有專門為國王做鞋的御用鞋匠，鞋做得好，甚至能封為貴族。

另外，如今眾人津津樂道的法國料理也是在路易十四手裡發揚光大的。

十六世紀時，法國人的飲食文化在義大利人面前還是群土包子，黑松露、嫩牛排、乳酪等的製作方法，全都是佛羅倫斯梅迪奇家族的小姐從義大利娘家帶來的。

但是到了路易十四的時代，法國卻讓全歐洲的人在物質享受方面都成了土包子。今天我們連連稱道的法國料理如何如何、用餐禮儀如何如何，其實指的都是現代法國料理，和法國大革命之前貴族時代的法國料理並沒有關係。路易十四時代的法國料理複雜到什麼程度呢？專門為國王一個人準備御膳的廚房人員就有三百多人。

路易十四用餐時，戴不戴帽子、戴什麼樣的帽子、演奏什麼音樂，同樣有一大套規矩。路易十四很不樂見的聖西蒙公爵專門寫了一本凡爾賽宮生活的回憶錄，對於「如何在凡爾賽宮裡吃一頓飯」做了詳細的紀錄。舉例來說，路易十四創立了分餐制，使用真金餐具，光是餐前擺凳子的禮儀，聖西蒙公爵就寫了整整五十頁，圖文並茂！

不過，路易十四既然不樂召見聖西蒙公爵，他怎麼寫得出這些翔實的紀錄呢？事實上，聖西蒙公爵一生中有相當長的時間住在凡爾賽宮裡，而且不光是他，路易十四時代所有有頭有臉的貴族全都住在凡爾賽宮。

《超級導覽員趣說博物館》介紹羅浮宮時提過，法國國王的領地就算上溯到腓力二世的時代仍然僅有一點點，剩下的國土都還掌握在貴族手裡。法國的中世紀歷史，幾乎就是法國王室逐步統一法國、逐步統一諸貴族的過程。經過卡佩王朝、瓦盧瓦王朝等共約四個世紀的前仆後繼努力，直到波旁王朝、路易十四時代之前，法國的貴族勢力依然強大。路易十四親政後，法國仍然存在著像孔代親王這樣同屬波旁王朝嫡系血脈、勢力龐大的家族。路易十四之所以大興土木修建凡爾賽宮，很大程度是為了把貴族們「拘」起來，全部集中在一起，方便監視和管理。

凡爾賽宮全盛時期，住在宮裡的貴族、主教、服侍他們的僕從，加起來總共有三萬六千多人，還駐紮了各種衛隊和員警將近一萬五千人。就算是像聖西蒙公爵這樣的貴族，路易十四雖然極不喜歡他，同樣要求他住在宮裡。隨著貴族血脈的擴張，凡爾賽宮一再擴建，到了後來，與其說凡爾賽宮是座宮殿，不如說是座夢幻小城市。

對於法國國王和諸貴族來說，那時也確實是個夢幻時代，而且這個夢幻時代一直延續到了法國大革命前夕。凡爾賽宮內幾乎天天召開盛大的舞會和園遊會，聚餐和放煙火更不在話下，到了路易十五時代，一次煙火晚會就花掉六十六萬利弗爾*，名副其實的「萬國笙歌醉太平，倚天樓殿月分明」，用「窮奢極欲」、「紙醉金迷」等詞彙來形容都顯得貧乏。而就在這般寶馬香車、醉生夢死的生活裡，法國貴族相當於遭受「杯酒釋兵權」，從豺狼變成了國王腳邊溫順的小綿羊。

多溫順呢？貴族們每天早上要集體前往國王臥室看國王起床，這是路易十四規定的「起床禮」，不僅如此，還有早朝覲、晚朝覲、問安儀式、就寢禮、就餐禮、祈禱禮等，比大清皇帝規定的請安還麻煩得多。甚至於有時國王出恭，貴族們也得在旁邊看著。

運用優厚的生活條件、各種規矩等手段，路易十四終於把貴族統統搞定了，沒人再敢挑戰國王的權威，凡爾賽宮也成了法國的實質首都，是當時真正意義上的政治和外交中心，甚至是軍事總指揮部。

然而，儘管路易十四活得比他兒子和孫子都長壽，「太陽王」終究不是真正的太陽。一七一五年，路易十四駕崩，結束了伏爾泰口中「偉大的時代」。

路易十六與法國大革命

路易十四的曾孫路易十五繼位後，雖然也有點貢獻，比如從神聖羅馬帝國手裡搶下洛林，從熱那亞手中搶來科西嘉島，但和我們熟知的眾多末世君主一樣，路易十五堅定地過著荒淫的生活。

路易十五和他曾祖父一樣是個花叢高手，情婦無數，既有像龐巴度夫人這種貴族名媛，也有像巴莉夫人這樣的妓女，梅麗夫人一家五姐妹甚至都是他的情人。治國方面，路易十五缺乏仁君氣宇，也沒有曾祖父的鐵腕，導致國家經濟每況愈下。雖然那時的波旁王朝看似迴光返照，全歐洲的王室貴族都以說法語為榮，但在凡爾賽宮一片聲色犬馬裡，王朝末日已愈

＊利弗爾，法國古代貨幣單位。一利弗爾等於一法郎。

來愈近。路易十五在位時說過：「我死後，將是洪水滔天。」可見他也明白王朝正走向沒落。

等到路易十五之孫路易十六即位時，凡爾賽宮迎來了最後的輝煌。除了貴族們依然醉生夢死，路易十六的王后瑪麗・安東妮向來被視為窮奢極欲的典型，僅是裝修小特里亞農宮（Petit Trianon）就花了近八十萬法郎。

另一方面，雖然路易十六當國王的天資十分有限，他卻是個天才鎖匠。凡爾賽宮裡有個近五百平方公尺大的專業五金鋪供他造鎖，據說很多他和國外之間的重要通信就用他自己製造的密碼鎖鎖著，高級鎖匠都打不開。

一七八九年，路易十六決定重新召開已經中斷一百七十五年的三級會議，地點選在凡爾賽宮。歷史學家評價此舉相當愚蠢，讓第三級代表看見金碧輝煌的凡爾賽宮，相當於向他們坦承國王奢侈無度，貴族貪婪揮霍。更愚蠢的是，三級會議本來已預留了主會場，結果路易十六看到第三級代表的人數太多，竟然把主會場讓給了他們，把貴族和主教都轉移到凡爾賽宮的遊藝廳裡。財政大臣內克空洞無聊地演講了足足三個小時，歸根結柢只有兩個字「收稅」，讓第三級代表當場翻臉，場面變得難以控制。

為了維護秩序，路易十六在夜裡偷偷鎖住會場，以為只要沒地方開會，第三級代表就會散去。結果第三級代表馬上改在場地更大的凡爾賽宮網球場開會，最後提出了著名的〈網球場宣言〉，「如不制訂出一部王國憲法並使之得以實施，我們決不解散！」攻占巴士底獄

小特里亞農宮

凡爾賽宮庭園

誠然是法國大革命的標誌，但掀起法國大革命之處，恰恰就在法國王室心臟地帶的凡爾賽宮網球場草坪上。

隨後，法國大革命爆發，路易十六被押往巴黎，最後更被押上了自己改良過的斷頭臺。大革命期間風起雲湧，腥風血雨，輝煌的凡爾賽宮多次被民眾洗劫、焚毀，一度淪為廢墟，直到一八三三年國王路易－菲利普一世（Louis-Philippe Ier）宣布展開修復，凡爾賽宮才重獲新生，成為歷史博物館。

走在時代尖端的設計

做為一座歷史博物館，凡爾賽宮收藏的各種藝術品雖不乏珍品，卻遠遜於羅浮宮或大英博物館。事實上，凡爾賽宮最大的收藏就是凡爾賽宮本身，這座富麗堂皇的宮殿和庭園就是價值連城的藝術品。

參觀過凡爾賽宮庭園和噴泉的人往往有個「大而開闊」的印象，這和當年的庭園設計有很大的關係。

首先，十字形大運河的設計為整個庭園畫出了幾何主軸。與中國古典園林強調錯落有致、曲徑通幽、別有洞天不同，法國庭園崇尚幾何化、圖案化，強調透視、景深和對稱之美。站在凡爾賽宮宮殿群一眼望去，廣大的庭園在運河形成的主軸上，對稱分布著大量的噴泉和水池。位於最遠處的阿波羅泉池實際高度高於主軸，卻受益於這種主軸上不斷有參照物出現的設計，讓人感覺離宮殿群愈遠，泉池愈大，創造了一種軸線無限延伸直抵地平線的恢宏氣勢。光是這個例子，就能看出凡爾賽宮的造園藝術獨具匠心，的確獨步歐洲。

其次，凡爾賽宮還有一個設計即便放在今天也極具想像力——充分利用光線的反射。坦白說，歐洲的著名宮殿很多，比如奧地利帝國的美泉宮（Schloss Schönbrunn）、格拉那達王國的阿爾罕布拉宮（Alhambra），但對於鏡面光線反射的利用，凡爾賽宮幾乎稱得上是無出其右。

在凡爾賽宮，但凡是水面空間，其地面都是封閉的。如此一來，若有水在其中，自然顯得無比清澈，形成天然鏡面。岸上的物體倒映在水面上時，不但明顯放大了庭園空間，「水天一色」的景象更讓人心曠神怡。這和中國傳統園林講究山環水縈、自然掩映的思路完全不同，卻同樣別具一格，非常優美。

同樣原理也大量運用在凡爾賽宮的建築上。有人說凡爾賽宮的建築風格是典型的法式巴洛克，這並不完全正確。凡爾賽宮的主體已經是古典主義建築了，多用明亮色調、強調高雅氣質，並盡力展現建築設計中的邏輯和理性之美，好比光線反射原理在當年就是一種大膽的創新。

鏡廳與普法戰爭的故事

如果從歷史博物館的角度看凡爾賽宮，鏡廳絕對是這座博物館的鎮館之寶。凡爾賽宮的宮殿群長達五百八十公尺，一般的照相機鏡頭根本拍不下。此一龐大的建築群落裡有很多主題房間，比如阿波羅廳、戰神廳、戰爭廳、維納斯廳等，其中最著名的就是鏡廳，又稱鏡廊。

一六七八年，路易十四叫王室畫家勒布倫（Charles Le Brun）與建築師孟薩爾（Jules Hardouin-Mansart）合力打造鏡廳，全長七十多公尺，寬十公尺，高十三公尺。在這座長廊上，鄰接庭院的那一面有十七扇朝花園打開的窗門，靠裡這一面鑲嵌了與拱形大窗完全對稱的十七面鏡子，總共由四百多塊鏡片組成，頭頂上則懸掛了二十四架巨大的波希米亞水晶吊燈，大廳穹頂還繪有三十幅歌頌太陽王路易十四豐功偉業的巨型壁畫。

整個大廳鋪著細木雕花地板，以綠色大理石做柱子，柱頭、柱腳和護壁都是黃銅鍍金，到處裝飾著雙翼太陽的圖案，隱喻太陽王無限偉大。廳裡總共有三大排掛燭，三十多個燭臺和八大座可插一百五十根蠟燭的巨型燭臺，燭臺底座是黃銅鍍金的美女人物雕像，風姿綽約，飄飄欲仙。若是點亮燭光，在廳中鏡子的交相輝映之下，將組成多達三千多道的燭光，讓整座大廳宛如光芒萬丈的太陽。路易十四時代，這裡從白天到黑夜經常舉行舞會，真正是「無為有處有還無」，如夢似幻。

鏡廳

一八七一年一月十八日，一群來自德意志的普魯士軍人氣宇軒昂地走進了這座法國人的宮殿。鏡廳裡，一個留著標準「海豹鬍子」的德國胖老頭被眾人簇擁著，加冕成為德意志皇帝。另一個同樣留著大鬍子的高大老頭站在臺下，表情激動地注視著這一幕。這是歷史上著名的德國統一標誌——德皇加冕，站在臺上的胖老頭是第一任德意志皇帝威廉一世（Wilhelm I），站在臺下的高個子則是著名的「鐵血宰相」俾斯麥（Otto Eduard Leopold von Bismarck）。

德意志的早期歷史這裡不贅述，簡單說，直到十九世紀早期，所謂的「德意志」不過是個地理概念。拿破崙戰爭期間，代表德意志民族的老大奧地利被拿破崙打得很慘，導致奧地利的法蘭茲一世（Franz I）不得不於一八〇六年取消神聖羅馬帝國皇帝稱號，德意志各邦也徹底解體。

同樣在拿破崙戰爭中遭遇慘敗的普魯士為此痛定思痛，開始崛起。一八一五年拿破崙慘敗後，德意志地區最強大的普魯士和奧地利都打算一統德意志，相對於奧地利被動的統一策略，普魯士在俾斯麥上臺後採取現實政治的策略，對德意志各邦或打或合，迅速成為真正的德意志老大。

一八一八年，普魯士發起德意志關稅同盟，制訂了共同的發展目標，開始聚攏整個德意志地區的人心。一八六四年，普魯士聯合昔日老大奧地利一起攻打丹麥，把什勒斯維希－霍爾斯坦（Schleswig-Holstein）和勞恩堡（Lauenburg）這兩個德意志地區從丹麥手裡「解救」了出來。一八六六年，普魯士僅用七個星期就打敗了過去的德意志老大奧地利。一八七〇年，普法戰爭爆發。

當時，法蘭西皇帝是拿破崙的侄子拿破崙三世，野心勃勃的他想效法叔叔當歐洲霸主，無奈能力有限，歐洲各國君主都瞧不起這個暴發戶式皇帝。拿破崙三世為了證明自己，到處刷存在感，燒圓明園就有他的份兒。

一八六八年，西班牙女王伊莎貝拉二世（Isabel II de Borbón）被推翻，西班牙王位虛懸，普魯士霍亨索倫家族的利奧波德親王本想繼承西班牙王位，拿破崙三世卻表示強烈反對。

為什麼呢？看看地圖就知道了。從地理位置來看，西班牙就在法國背後，法國當然不願意看到歐洲大陸上崛起一個強大的普魯士，如果讓普魯士的人繼承了西班牙，法蘭西豈不是腹背受敵？

另一方面，俾斯麥一直勸普魯士國王威廉一世繼承西班牙王位，目的就是想尋釁滋事，攻打法國。可是威廉一世並不想把局勢弄得這麼緊張，公開表示不會讓利奧波德親王繼承西班牙王位。

當時法國人發了一封密函給威廉一世，非得要他給個書面承諾，威廉一世順手就把密函轉給了俾斯麥。沒想到那時俾斯麥將軍正和參謀總長毛奇（Helmuth Karl Bernhard von Moltke），還有一大批主戰派軍官喝酒，大家正為沒藉口攻打法國而鬱悶。看見這封電文後俾斯麥眼前一亮，問毛奇：「我們要是現在就對法國開戰，能贏嗎？」一代名將毛奇說話可靠，拍著胸脯說：「沒問題，肯定能打敗法國！」

俾斯麥吃下這顆定心丸後，擬了一篇電文交給媒體。

第二天，以威廉一世名義發布的電文便在報紙上披露：「收到利奧波德親王的棄位通知後，法國大使還要求普魯士國王允諾巴黎，就算親王以後想要回繼承權，國王也絕不同意。國王拒絕該要求，也拒絕再接見法國大使。他請高級副官轉告，其他沒什麼好說的了。」

這封史上著名的「埃姆斯密電」（Ems Dispatch）一發，戰爭導火線旋之點燃。

普法戰爭爆發後，法國一點都不禁打。一八七〇年七月宣戰，到了九月的色當戰役，拿破崙三世就成了普魯士的俘虜。

於是乎，路易十四蓋的輝煌鏡廳裡，德國人的皇帝進行了加冕典禮，德意志宣告統一。

要注意的是，在鏡廳加冕的是「德意志的皇帝」，不是「德國皇帝」。「德意志的皇帝」只相當於武林盟主。威廉一世本來想加冕為德國皇帝，可對各邦行使權力、具政治意義，但俾斯麥堅決要求只能加冕為「德意志的皇帝」。因為如果是德國皇帝，被打敗的奧地利身為一德意志邦，也要承認威廉一世才行。

威廉一世之所以選在凡爾賽宮鏡廳加冕，當然經過精心選擇，為的就是報復法國人。

巴黎和會與《凡爾賽合約》

風水輪流轉，一九一九年六月，同樣在凡爾賽宮，一份把德國剝奪得體無完膚的《凡爾賽合約》被簽訂了。

話說一九一四年第一次世界大戰爆發後，經過四年血腥鏖戰，德國於一九一八年宣布投降。就在德意志皇帝於鏡廳加冕整整四十七年後，同樣的一月十八日，宰割德國的巴黎和會在鏡廳展開。以英國首相勞合・喬治（David Lloyd George）、法國總理克里蒙梭（Georges Benjamin Clemenceau）、美國總統威爾遜（Thomas Woodrow Wilson）為首的「三巨頭」完全把持了和會。別說同盟國，就連其他協約國也只有聽憑發落的份兒。經過漫長的談判，德國代表團直到一九一九年才到達凡爾賽宮。

合約條件規定，德國要割讓十三％領土，賠償三百二十億美元的戰爭賠款，外加每年五億美元利息，出口產品要徵收二十六％額外費用，放棄所有海外殖民地，陸軍只保留十萬人，海軍主力戰艦不得超過六艘，而且不得擁有潛艇、飛機、坦克、重炮等攻擊性武器。

《凡爾賽合約》不是一份和平協議，而是二十年的停戰書。果不其然，一九三九年，第二次世界大戰爆發，距離《凡爾賽合約》簽字，整整二十年。

《卡斯蒂永戰役》

戰爭畫廊

除了鏡廳，凡爾賽宮每個房間都是一件精巧奪目的藝術品，大量的畫作也發揮了關鍵作用，比如《戰神瑪律斯駕駛狼馭戰車》、《拿破崙翻越阿爾卑斯山》、《普瓦蒂埃大捷》、《里沃利戰役》、《亨利四世進入巴黎》等。

戰爭主題的畫作大多收藏在著名的「戰爭畫廊」裡。這座恢宏的畫廊長達一百二十公尺，寬十三公尺，擁有透光的玻璃頂棚，採光非常良好。這座長廊還收藏了三十五幅關於法國大型歷史戰役的油畫作品，八十二尊為法國捐軀沙場的著名將領胸像，歷史跨度從西元四九六年一直到西元一八〇九年，囊括了十四個世紀。當然，這裡只記錄勝利之戰，像是阿金庫爾戰役（Battle of Agincourt）雖然有名但法國被打得丟盔卸甲，這裡並未展示。

戰爭畫廊裡，英法百年戰爭的最後一次決戰——卡斯蒂永戰役（Battle of Castillon）受到了大肆渲染。卡斯蒂永戰役發生在一四五三年七月，英國的長弓手雖然驍勇善戰，法軍用來對付長弓手的卻是三百多門加農炮和射石炮，以及從德國雇來的火槍手。英軍朝法軍撲去時，先被火炮發射的霰彈攻擊，再遭到火繩槍的密集射擊，他們引以為傲的長弓只能徹底淪為配角。

戰鬥中，法國的加農炮擊中了英國主將塔爾伯特（John Talbot）的坐騎，塔爾伯特被壓在馬下。只見他倒地之後，一名法國弓箭手一步跨到他身邊，用戰斧砍下了他的腦袋——《卡斯蒂永戰役》（*Battle of Castillon*）這幅畫清晰重現了這個瞬間。這一戰之後的兩個月，英國戰敗投降。

無論是金碧輝煌的鏡廳還是恢宏的戰爭畫廊，都只是凡爾賽宮很小的一部分，還有阿波羅廳、維納斯廳、戴安娜廳、大小特里亞農宮等著名的宮殿和房間。

最後也想補充一句，網路盛傳凡爾賽宮沒有洗手間一事是真的。當年不論你是國王還是太子，統統都是在壁爐裡便溺，這裡不但沒有洗手間，也沒有浴室。歐洲宮廷的人向來不喜歡洗澡，認為水會傳染疾病，並認為人的體味愈濃厚愈健康，所以他們才發明了香水。

如今前往凡爾賽宮參觀時，還是只有入口售票處、出口和花園裡才有零星洗手間，雖然用這個話題來結束凡爾賽宮的介紹可能有點尷尬，不過這也是凡爾賽宮真實的另一面。

Smithsonian Institution

CHAPTER 9

「博物館聯合體」：史密森尼學會博物館

史密森尼學會是個博物館聯合體，是美國國家擁有的超大型博物館產業聯盟。史密森尼學會一直堅守著創立之初的格言：「在人類之間增長和傳播知識」，為整個美國在科學、藝術、公共教育等領域的進步做出了巨大的貢獻。

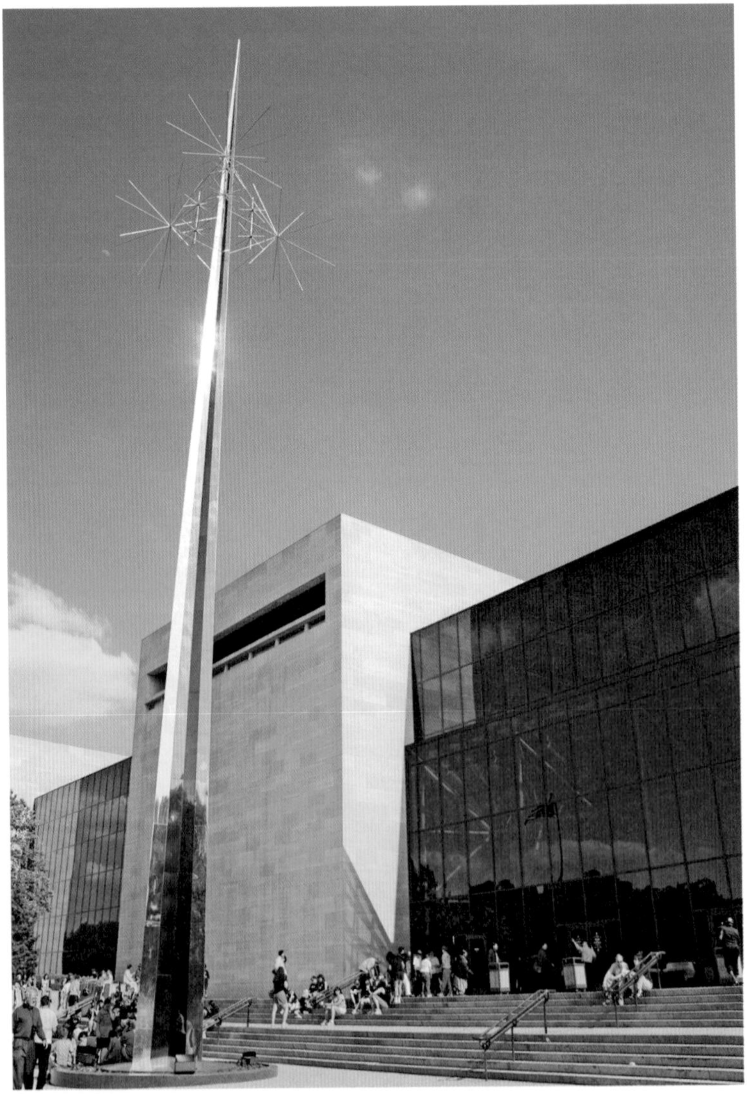

美國國家航空太空博物館

這一章我不介紹某一間特定的博物館，而是要介紹一個「博物館聯合體」，那就是美國著名的史密森尼學會。

研究博物館，或說研究現代博物館，史密森尼學會是一個繞不過去的存在。這家學會從結構、管理方式，再到重要程度，都稱得上是全球獨此一家。

美國的博物館很多，比如之前介紹過的大都會藝術博物館，或是波士頓美術館（Museum of Fine Arts, Boston）、現代藝術博物館（Museum of Modern Art，MOMA）等。但這些博物館要不是私人的，就是大學這類學術機構籌建的，唯獨史密森尼學會旗下的博物館都是國立博物館，比如美國國家航空太空博物館（National Air and Space Museum）就屬於史密森尼學會。

除此之外，史密森尼學會還擁有佛利爾美術館（Freer Gallery of Art）、賽克勒美術館（Arthur M. Sackler Gallery）、美國國家歷史博物館（National Museum of American History）、美國國家肖像畫廊（National Portrait Gallery）、藝術和工業大廈（Arts and Industries Building）等，總共十九家博物館、一座國家動物園、九個研究中心，各類收藏近一億四千萬件。全美國有多達一百八十家史密森尼學會的相關機構或附屬機構，每年前往學會旗下博物館參觀的觀眾超過三千萬人，訪問博物館網站的觀眾多達兩百多萬人次。

如果說大英博物館、羅浮宮、冬宮這些大博物館是所謂的博物館巨頭，史密森尼學會就是美國國家擁有的超大型博物館產業聯盟。從一八五五年史密森尼學會旗下第一家博物館竣工至今，該學會一直堅守著創立之初的格言——「在人類之間增長和傳播知識」，為美國在科學、藝術、公共教育等領域的進步做出了突出的貢獻。

然而，這個美國引以為傲的龐大博物館聯合組織，其第一筆創始資金並不是來自美國人，而是來自一位英國人。史密森尼學會的誕生源於一份遺囑，一份寫滿豪門恩怨的遺囑。

一八二六年，六十一歲的英國科學家史密森（James Smithson）留下了一份遺囑——遺囑原文只要上史密森尼學會官網就能查到——說明他去世以後如何處理遺產。遺囑中，史密森首先提到一位叫菲塔爾（John Fitall）的僕人，因為菲塔爾對他很忠誠，所以他在遺產裡先留下了這位僕人的工資，總共價值一百英鎊的純銀幣，並於每個季度分期支付，直到付完為止。接著，史密森指出自己曾欠一個叫賽利（Henry Honore Sailly）的人錢，如果他來要，別忘了還錢。再然後，史密森決定把剩下的所有財產都留給侄子亨利．亨格福德（Henry James Hungerford），如果侄子死了，就留給他的後代。

關鍵問題來了，如果他侄子也死了，又無後，遺產該怎麼辦？那就把所有的錢和股票都捐贈給美利堅合眾國，用於在華盛頓建立一個以「史密森尼學會」命名的機構，以便增長和傳播知識。

誰也沒想到，史密森去世後沒幾年，他侄子也去世了，而且無子無女，最後這筆錢真的留給了美國。

身為一個一輩子沒去過美國的英國人，史密森為什麼會做出這樣的決定呢？

佛利爾美術館

詹姆斯・史密森，一七六五年出生於法國，九歲才回到英國。天資聰穎的他，二十一歲就從牛津大學拿到碩士學位，二十二歲就當選為英國皇家學會會員。英國皇家學會吸收的都是大神級人物，比如牛頓、霍金、富蘭克林、邱吉爾等。史密森畢生的研究基本上都集中在化學領域，現代化學裡「矽酸鹽」（silicate）一詞就是他首創的。不過在今天看來，他的學術研究成果多少有點無關緊要，反倒是他留給美國的遺產，成就了世界博物館發展史上的一段佳話。

由於史密森生前大部分書信、手稿和日記，後來在一八六五年史密森尼學會的大火中被燒毀了，他之所以把遺產捐給美國的真實原因，今天很難再弄清楚。但根據研究，大部分人都相信這和英國貴族之間的一場豪門恩怨有關。

史密森的父親是第一代諾森伯蘭公爵休・珀西（Hugh Percy, 1st Duke of Northumberland），此人原名休・史密森，原本並不是貴族，其父——史密森的爺爺——是個開服裝店的小老闆，因為娶了最後一任諾森伯蘭伯爵的外孫女為妻——史密森的奶奶，憑這層關係，休也稱自己具有貴族血統。

一七四〇年，休娶了英格蘭北部極有名望的老牌貴族之一珀西家

藝術和工業大廈

族的姑娘，並馬上把姓氏改成「珀西」。結婚四年後，新夫人的弟弟死於天花，珀西家的繼承人只剩下自己的太太，休也就搖身一變成了正經貴族，妻子家的財產全到了他手裡。

不過，科學家史密森並未繼承「珀西」這個光榮的姓氏，而是繼承他父親原本的姓氏「史密森」，這是因為史密森並不是他父親與正牌夫人所生，是個私生子。

史密森的生母是伊莉莎白·馬西埃（Elizabeth Hungerford Keate Macie），這位女士的來頭不小，是喬治·亨格福格爵士（Hungerford）的孫女，而爵士家是英國王室血統的一支，地位相當尊貴。

史密森的父母是怎麼相遇的，後人不得而知。總而言之，史密森從小跟著在法國長大的母親生活，後來饋贈給美國政府的那一大筆遺產主要也繼承自母親。雖然他九歲時去了英國，上了牛津大學，但由於母親的關係，史密森對法國頗有感情。

長大後，史密森長年在歐洲各地旅行，法國大革命時他正好在法國，目睹了革命的醞釀和爆發。一開始，他對法國大革命抱著歌頌的態度，畢竟「自由、平等、博愛」對知識分子的吸引力相當大。沒想到在雅各賓黨執政時，革命人士把史密森非常尊重的大化學家安東萬·拉瓦節（Antoine-Laurent de Lavoisier）推上了斷頭臺，緊接著在拿破崙戰爭期間，他自己也淪為俘虜。雖然他立馬寫信給英國方面要求營救，他在英國的朋友透過各種方式把他救了回去，但從此以後，他對法國再也沒有好感。

可以想見，從沒去過美國的史密森之所以把遺產留給美國人，主要是因為他把「自由、平等、博愛」的理想，轉而寄託在美國這個新生國家。

事實上，美國受啟蒙思想的影響一點也不亞於法國，而且在法國大革命之前，美國就已經實現了獨立。當時美國與法國之間的關係很好，與母國英國之間反而劍拔弩張。一八一二年，第二次美英戰爭爆發，儘管老牌的英國很厲害，甚至一度占領華盛頓特區，但新興的美國最後還是打敗了英國。從那以後，英國不得不承認美國的存在。此時的美國，也已開始顯現出駿馬奔騰般的發展勢頭。

一八二三年，美國總統門羅提出了所謂的「門羅主義」，明確表示我們美國人不會干涉你們歐洲人，你們歐洲人也不准再管我們美洲的事。

換言之，以當時的世界局勢來看，美國的確擁有極大的號召力。拿破崙戰爭結束後，歐洲有大量失業的復員軍人和窮人移民美國，幾位美國開國先驅如富蘭克林、亞當斯等人都有深厚的科學家背景，多重因素影響之下，也難怪史密森想把錢捐給美國。

另一方面，史密森的父親休．珀西娶了珀西家小姐之後生的兒子，後來成了第二任諾森伯蘭公爵，這位第二任公爵是史密森同父異母的兄弟，曾為英國遠征軍，鎮壓過美國的獨立運動。一七七四年，第二任公爵被派往波士頓，和他的科學家兄弟截然不同，公爵非常痛恨美國叛軍，曾在列克星敦（Lexington）、康科德（Concord）等地屢次領軍和美軍交戰。

同父異母的兩兄弟，一個致力於打擊美國，一個把遺產留給美國，真是耐人尋味。據說史密森一輩子都對自己的私生子身分耿耿於懷，最後把遺產留給美國，會不會也有想和自己的貴族兄弟對立的心理呢？

此時你可能會問，史密森的遺囑不是首先把財產留給姪子嗎？史密森在遺囑裡提到的兄弟並不是第二代公爵。當初，他母親馬西埃女士認識史密森的父親時，其實是個寡婦，生下史密森之後，又改嫁給另一位狄金斯，才有了史密森後來在遺囑裡提到的侄子亨利。亨利是史密森同母異父兄弟的兒子。

又是同父異母、又是同母異父，十八世紀英國貴族私生活還真的有點亂。不過在十八世紀的英國貴族中，私生子其實很常見。大劇作家菲爾丁（Henry Fielding）有齣名劇《棄兒湯姆·瓊斯的歷史》（*The History of Tom Jones, a Foundling*）說的就是私生子的故事。

那個年代，貴族的婚姻百分之百由家族包辦，婚後夫婦兩人各自有獨立的房間和僕人，誰也管不著誰。婚姻對於那時的貴族來說，只不過是一種法律上重新組合財產的方式，對個人生活幾乎沒有約束力。因此在十八、十九世紀的宮廷和貴族圈，情婦大行其道。十八世紀早期的兩任英國國王喬治一世和喬治二世不但擁有大量情婦，還頗為得意。上行下效，那時英國和歐洲的貴族多有情婦和私生子。

這種風氣也傳到了民間。從十八世紀開始，英國民間的私生子數量急劇飆升，並在十九世紀早期出現了像《孤雛淚》這種描寫私生子苦難生活的小說。當然，有樂之者，就有惡之者。《理性與感性》、《傲慢與偏見》、《愛瑪》等宣揚真愛的小說也同時出現。

不過，史密森的遺產想轉交給美國，並不是件容易的事。

SMITHSONIAN INSTITUTION
DONALD W. REYNOLDS CENTER FOR AMERICAN ART AND PORTRAITURE
SMITHSONIAN AMERICAN ART MUSEUM
NATIONAL PORTRAIT GALLERY

美國國家肖像畫廊

英國派出了律師團向法庭申訴，要求把款項留在英國。美國這邊呢，當時的總統是第二次美英戰爭中立下赫赫戰功的傑克森（Andrew Jackson），號稱「老胡桃木」（Old Hickory）。傑克森總統一聽說這件事，馬上派著名外交官、後來的財政部長拉什（Richard Rush）前往英國。結果官司一打就是兩年，最終英國法院判定，這筆錢屬於美國。

那麼，這筆錢到底有多少呢？當時的數字是五十萬八千三百一十八．四六美元。你問當年的五十萬美元有多巨額？那時針對罪大惡極殺人犯的通緝獎金也不到一百美元。

沒料到，美國差點錯失了這筆鉅款。一八四六年，這筆錢已經到了美國，美國也成立了專門委員會負責規劃這筆錢的用途，並由當時的副總統親自負責。誰知道他們用這筆錢買債券，結果投資失敗，錢用光了。

這時，美國前總統亞當斯（John Quincy Adams）站了出來，呼籲一定要尊重史密森。今天看來，亞當斯和當時的總統傑克森都是美國歷史上重要的總統，為美國的發展做過傑出貢獻，但當時他們可是水火不容的死敵。在競選總統時，亞當斯疑似作弊，擠掉了聲望頗高的傑克森。後來亞當斯卸任，成為參議員，傑克森則當上了總統。眼下，傑克森在任內把史密森的遺產搞砸，亞當斯馬上站出來振臂高呼，傑克森也立即做出反應，督促國會集體反省以表誠意，立法通過並恢復了這筆款項，成立了史密森尼學會。

與此同時，傑克森開始撥款、撥土地，在華盛頓特區興建博物館。今天被稱為「古堡」的第一處博物館、史密森尼學會大樓在一八五五年竣工；當時的美國國家博物館，也就是今天的藝術和工業大廈則於一八八一年正式對外開放；緊接著，國家動物園於一八七九年落成，一八九一年對外開放；史密森尼天體物理臺（Smithsonian Astrophysical Observatory）也於一八九〇年建成。而後，愈來愈多博物館、研究中心拔地而起，形成了今日史密森尼學會旗下龐大的國家博物館群落。

從貴族的家族內鬥到國家規模的國立博物館群，從一份神祕的遺囑到覆蓋全美的科學知識體系，幾個世紀以來，圍繞著史密森尼學會發生了很多故事，但是當初史密森捐出遺產的初衷——「在人類之中增長和傳播知識」的精神旗幟，始終不倒。

如今，史密森尼學會已經成為美國一個極其特殊的存在，由美國政府資助，獨立於美國所有機構之外，每年都能獲得一筆獨立撥款。二〇〇二年，小布希政府曾經想把史密森尼學會旗下部分機構劃歸給國家科學基金會（National Science Foundation，ＮＳＦ）管理，結果遭到史密森尼學會的專家學者們一致反對。在他們看來，科學和知識的獨立神聖不可侵犯，不該被人因任何理由或藉口橫加干涉。

宣導成立學會的史密森最後在一八九二年死於義大利熱那亞，他的墓地一直由史密森尼學會成立的專門機構看管。一九〇四年，史密森尼學會提議將史密森的遺體運回美國。當年一月，史密森的遺體運抵美國，在騎警隊的莊嚴護送下運往史密森尼學會大樓，安葬在專門的禮堂裡。這座義大利風格的石棺今天依然停放在那裡，人們尊敬它，就像尊敬拿破崙和伏爾泰一樣。

美國國家動物園

史密森尼學會大樓，暱稱「古堡」

那麼，史密森尼學會成立後發生了哪些故事呢？

說到底，由一份遺囑變成一個學會，史密森尼學會的誕生真的挺傳奇的。而該怎麼理解史密森的遺囑，當時一度引起很大的爭議。

遺囑裡指出，錢是留給美國的，但是留給美國這個國家呢？還是留給美國政府？遺囑裡又指出，這筆錢要用於「在人類之中增進和傳播知識」，這個「人類」是單指的美國人還是全人類？最重要的是，美國到底是遺囑的受益人，還是遺囑的執行人？

為了這件事，美國參議院和國會在爭論後得出結論——美國只不過是這筆錢的託管人，這份遺囑的真正受益人是全人類。

那麼，根據法律精神，美國既然接受了史密森的饋贈，等於是認可了這份遺囑。史密森在遺囑裡說，給美國這筆錢是要美國「在人類之中增進和傳播知識」，如今你承認了，也接受了，就應辦妥這件事。

問題來了，怎麼樣才算是辦妥呢？是不是說只要世界上還有一個人的知識沒增進並傳播出去，這任務就不能停？那麼，一個人的知識增進到什麼程度，才算美國盡到力了呢？

從法律的角度出發，「在人類之中增進和傳播知識」這句話並沒有標準。也就是說，美國身為遺產的託管人和遺囑的執行人，應該將這件事永遠地做下去。從法律意義上說，史密森尼學會的存在，就是美國執行史密森遺囑的機構，而這份遺囑從十九世紀上半葉執行到了今天，未來也將繼續執行下去。

那麼，遺囑要如何執行呢？換種說法，史密森留下的這筆錢到底該怎麼用？

這當然需要好好討論，美國參議院從一八三九年展開討論，討論了整整八年。有人認為史密森的意思是辦一所大學，前總統亞當斯認為應該蓋一座天文臺，也有人認為應該成立物理學研究會、農業研究會。總之，爭論不休，沒有定論。

最後，美國參議院終於提出了兩項議案，算是為整件事定了調。議案的主要內容是：

第一，美國要用史密森的錢成立一個基金，並設置一個由九個人組成的基金託管理事會，直接聽命於美國國會。

第二，基金理事會的所有收入和花費都要上報美國財政部。

第三，美國副總統、首席大法官、華盛頓市市長，連同三位參議院參議員和其他六名成員總共十二人要成立一間公司，專門負責執行「在人類之中增進和傳播知識」的任務。

第四，史密森基金由美國財政部負責，以美國國家誠信為擔保，資金不會減少且每年享有六％利息。

簡單來說，就是成立一間公司——史密森尼學會——專門管理和營運；成立一個管錢的機構——基金託管理事會——專門負責撥款，並歸國會管轄。但是錢本身則存放在財政部，由財政部管。管錢、撥款、營運，三權分立，典型的美國模式。就像是一個只有三把鑰匙同時插進鎖孔才能打開的大鎖，最大限度確保了不會出現貪汙和胡亂挪用款項的現象。

後來在史密森尼學會董事會的內部討論中，大家也承認要完成史密森的遺囑，遺產根本不夠用。美國政府不但要把自己的國家收藏品都交給史密森尼學會，每年還要撥款給學會。僅一八七六年美國建國百年紀念那一年，美國政府就撥放了六十七萬美元給學會，用於成立美國國家歷史博物館（當時稱為美國國家歷史與技術博物館，Museum of History and Technology）。根據紀錄，一八七八年，國會撥給國家歷史博物館的款項是二萬七千七百八十一．八二美元。

到了現在，史密森尼學會每年的預算高達十億美金，七成由國會支付。對比一下，二〇一八年三月，美國政府撥給加強邊境安全的預算也不過十六億美金。

在國家的資助下，史密森尼學會的博物館事業做得有聲有色。除了首任會長約瑟夫．亨利（Joseph Henry）功不可沒，第一任助理祕書長喬治．古德（George Brown Goode）同樣居功厥偉。

古德從一八八一年開始為學會工作，直到一八九六年去世為止，任期內奠定了「美式國家博物館」的發展模式。他的觀點不僅對史密森尼學會的發展影響深遠，也大大影響了全球同類博物館的發展。

首先，古德是第一個提出「博物館系統」構想的人，讓美國的一大批博物館成功避免了大英博物館那樣規模愈來愈大、內容愈來愈雜、缺乏系統性的毛病。

再者，古德在一系列文章中提出，博物館、圖書館、大學、公立學校等機構雖然都能促進知識的增長和傳播，但是應該嚴格區分開來。在古德之前，有很長一段時間，博物館、圖

美國國家歷史博物館南面

書館、大學之間沒有明確的區分。

第三，古德主張現代博物館應該有三大功能：儲存、傳播和研究，不能僅僅把博物館當成儲藏文物的倉庫。

最後，古德不斷強調博物館的教育意義，確定了策展人的定位，主張好的策展人相當於一本書的編輯，能透過展覽傳達觀念。他也認為重要文物的複製品比不那麼重要的歷史原件更有教育意義。

古德的觀念相當於為美式現代化博物館定下基調，沿著他確立的發展路線，現在的史密森尼學會在公眾教育方面可謂獨步全球。而隨著現代技術的不斷引入，史密森尼學會旗下的博物館在數位化、網路化等方面同樣居於全球領先地位，在全美擁有二千五百多個數位教育資源網站，提供超過八百八十萬件藏品、圖書和檔案的線上流覽資料，其中一百萬個條目包含多媒體檔。史密森如果真的地下有知，應該會很滿意如此的遺囑執行力吧。

然而，史密森尼學會的模式近年開始遇到愈來愈多挑戰。

首先是美國在財政撥款上的壓力愈來愈大，光是二〇一四年一項博物館整修計畫就花費了近二十億美金。與此同時，學會也開始出現了財務混亂的問題，二〇〇八年還爆出貪汙醜聞，不得不進行組織調整。這種運作了近兩百年的模式，未來並不明朗。

博物館的營運與管理，有沒有更完善、更有效率的體系呢？

馳名全球的古根漢體系就是其中一種解答，我們將在下一章詳細介紹。

The Solomon R. Guggenheim Museum

CHAPTER 10

最會賺錢的博物館：古根漢博物館

「古根漢」是一個家族的名字，這座博物館的歷史也是一個傳奇家族的歷史。全球私人博物館普遍經費不足的情況下，古根漢博物館不僅成功養活了自己，還有大量的盈餘。

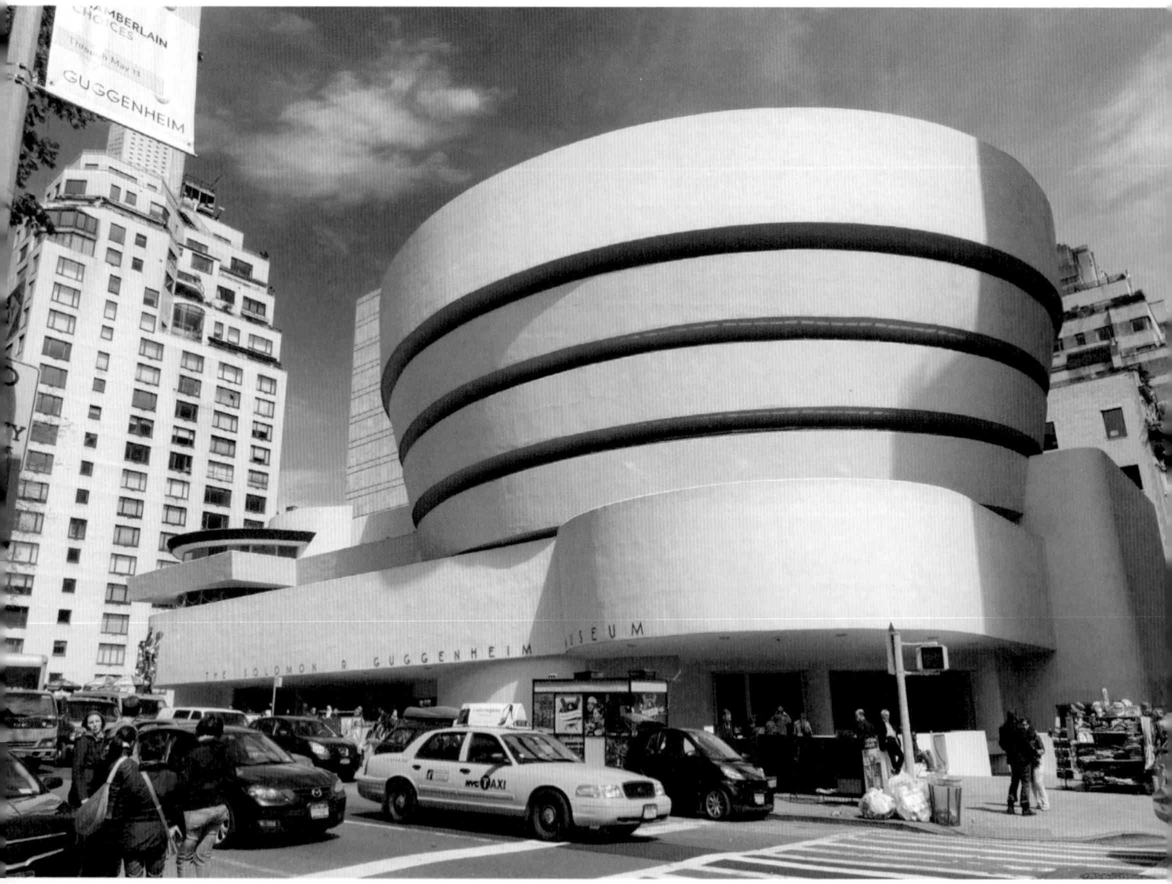

紐約的古根漢博物館

上一章講述了史密森尼學會如何從一份英國貴族的遺囑變成美國國家博物館群的傳奇歷程，這種「民辦官助」、政府撥款當主力的模式，如今已面臨相當嚴峻的挑戰。

全球各地的博物館，不論是國立博物館、史密森尼學會這種半國立的博物館，還是大都會藝術博物館這種私人博物館，無論哪一種，多數博物館都面臨資金緊張的問題。

原本的博物館是「繆斯神殿」，唯一功能是「玩高端」，象徵意義遠大於實際意義，但這麼多年發展下來，現代博物館的職能已經改變，成為研究機構和教育機構，如何養活自己因此成了博物館必須面對的現實。像大英博物館這類由國家資助的博物館，資金方面當然不成問題，但大部分博物館都是私立的，沒人資助時，資金自然吃緊，就連史密森尼學會這種有美國政府資助的博物館也會出現經費不足的情況。

經營一家博物館，既要有場地，要買藏品，要維護，還要有專業人才，也必須作研究，而且為了實現公眾教育的目的，很多博物館都免費開放，因此是否有充足的資金來源，至關重要。舉例來說，大都會藝術博物館就是一間典型的美國私人博物館，主要依靠接受捐贈、舉辦慈善晚宴、出版雜誌、發行債券等途徑籌措資金，但也僅能做到收支平衡。

有一家私人博物館不但盈利，且收入頗豐，就是總部設於紐約的古根漢博物館。

事實上，把它叫做「博物館」不太準確，應該叫「古根漢博物館體系」才對。如今凡是博物館界的人，幾乎都在研究古根漢的成功祕訣。同樣是私人博物館，為什麼它經營得那麼好？

少有人知道，古根漢博物館一開始並不成功，與今相反，它當時幾乎是博物館界的冤大頭之一。後來之所以能盈利絕非偶然，成功的背後隱藏著一個長達百年的傳奇商業故事。

首先，「古根漢」一詞既不是地名，也不是人名，而是一個家族的名字。

古根漢家族是瑞士籍東歐猶太人。一八四七年，邁耶·古根漢（Meyer Guggenheim）抵達美國，展開了該家族長達一百七十多年的輝煌歷史。邁耶來美國主要從事採礦和冶金，其家族與比利時國王利奧波德二世（Leopold II of Belgium）關係非比尋常，剛果所有的橡膠生意都由他們家承包。

古根漢家族有多富裕呢？其財產在猶太人富豪裡僅次於羅斯柴爾德家族（Rothschild），與洛克菲勒（Rockefeller）、摩根（Morgan）這個級別比，也僅是稍稍遜色而已。

財齊人也齊，邁耶和夫人一共生了十個子女，這些富二代和他們的子女富三代，在富一代的光環加持下，非富即貴，當參議員、經營出版公司、繼續採礦冶金等，邁耶的第二個兒子娶了羅斯柴爾德家的姑娘，第五個兒子娶了大銀行家塞利格曼家（Seligman）的女兒，第四個兒子的女兒甚至嫁給了一位英國伯爵。

說起邁耶的第四個兒子所羅門·古根漢（Solomon Guggenheim），真可謂少年得志，不但娶了羅斯柴爾德家的姑娘為妻，自己在阿拉斯加的金礦事業也做得風生水起。繼承父輩財產之外，再加上自己的開發，真正做到了腰纏萬貫。所羅門三十多歲時開始收藏藝術品，到一九一九年一次世界大戰結束後，年近六十歲的他從事業第一線退了下來，把全部精力都投入了藝術收藏。

所羅門之所以如此熱愛藝術，很可能是受到那時的社會風氣影響。

當時的美國正值經濟大繁榮時期，很多人原本在歐洲不過是個平民百姓，到了美國後，空白的市場給了他們機會，讓他們迅速致富。到了十九世紀末二十世紀初，美國湧出大量的富豪，原本看不起他們的歐洲人也開始轉變態度。另一方面，當時的歐洲藝術風氣愈來愈保守，學院派藝術家在巴黎的沙龍上往往把新興的藝術形式貶低得體無完膚。以上種種，都讓歐洲的現代藝術家們更願意投向美國金主的懷抱，美國富豪們資助藝術因此成了當時的風氣和時尚，富有的所羅門也沒能免俗。

所羅門在六十多歲時遇到了妻子的女性友人，也就是對所羅門和古根漢博物館都具有深遠影響的巾幗英雄——希拉．李貝（Hilla von Rebay）。

如果說古根漢博物館的歷史是一齣三幕大戲，希拉．李貝就是第一幕當之無愧的女主角。這位奇女子出身德國史特拉斯堡（Strasbourg）貴族家庭，後來繼承了貴族頭銜，成了女男爵。她從小就表現出對藝術的嚮往，也曾經想當藝術家，無奈天賦有限，於是迅速從一位準藝術家變成了一個純粹的藝術掮客。

希拉．李貝一九一五年開始接觸抽象藝術先驅、俄國大藝術家康定斯基（Wassily Kandinsky），對抽象藝術這種全新的藝術形式興致大發。她與一群德國抽象藝術家走得很近，一九一七年甚至成為魯道夫．鮑爾（Rudolf Bauer）的情人，還把鮑爾介紹給家人。最後因為李貝的家人看不上放浪形骸的藝術家，兩人只好分手。

雖然沒能與藝術家喜結連理，希拉．李貝卻成了所羅門在美國的紅顏知己。所羅門在她指導下大量購買抽象藝術作品，後來因為收藏的作品太多，開始展出。

一九三七年，希拉．李貝建議所羅門乾脆成立古根漢基金會，專門用來籌建博物館，一九四三年再建議興建一間永久性博物館。那個階段的古根漢基金會大量購入各式各樣的抽象藝術家作品，康定斯基、夏卡爾、莫侯利－納吉（Laszlo Moholy Nagy）……只要是抽象藝術家的作品就買，希拉．李貝的前情人鮑爾甚至被所羅門從納粹手裡營救了出來，最後當上古根漢博物館策展人。所羅門還向鮑爾保證，將來古根漢博物館開放後，會幫他的畫作舉辦展覽。

鮑爾到了美國後，發現自己完全沒機會再畫畫了。所羅門與他簽約，每月發津貼，幾乎把他養了起來。鮑爾這才知道，自己之所以備受古根漢重視，並不是因為自己的才華，而是衝著希拉．李貝的面子，非常受傷。果不其然，一九五九年古根漢博物館正式開放，牆上一幅鮑爾的畫都沒有。

當時所有人都認為所羅門拜倒在希拉．李貝的石榴裙下，俯首貼耳，因此蓋了這間博物館。事實是，身為一名精明的商人，所羅門深知抽象藝術未來的市場價值。當時抽象藝術剛剛問世，如同所有的新興藝術，主流藝術對其不屑一顧，所羅門卻從中嗅到了商機，趁著抽象藝術畫作便宜，大量購入，再透過擴大博物館的影響力，炒作這類作品。

為了興建古根漢博物館，希拉．李貝特別邀請美國名建築師萊特（Frank Lloyd Wright）設計了一個外形誇張又怪異的「三向度螺旋結構」建築。這座建築在當時引發了巨大的爭議，出現了很多反對的聲音，事實上大家又上了古根漢的當，這棟建築本身就是古根漢博物館的「活廣告」。後來古根漢博物館在全球各地又蓋了許多間博物館，無一例外都是外形怪異又惹眼的建築，也成為古根漢品牌的一部分。

儘管名為古根漢博物館，從策劃到開館，從定位為現代藝術到找人設計建築，處處都是希拉．李貝的影子，也突顯了所羅門在這一切背後的不動聲色、大智若愚可謂同樣重要。這兩人是互相利用還是默契極佳的最佳拍檔，不得而知，但不得不承認，這間位於紐約上東區的博物館，即將把人類的博物館事業推進一個新時代。

幾乎就在所羅門和希拉．李貝甚至鮑爾這樣的角色在一起相愛相殺的同時，古根漢博物館另一位重要人物，這齣古根漢大戲的第二幕女主角，也在世界各地頻繁活動，並即將登上舞臺中央，那就是所羅門．古根漢的侄女——佩吉．古根漢（Peggy Guggenheim）。她的光芒無疑比第一幕的女主角希拉．李貝更耀眼、更奪目。甚至可以說，沒有這位豪門叛逆敗家女，現代藝術會不會是今天這個樣子，很難說。

佩吉．古根漢的父親是邁耶．古根漢的第五個兒子本傑明．古根漢（Benjamin Guggenheim）。本傑明從小對家族生意沒什麼興趣，也沒有自己的事業，是個標準的花花公子，最大的愛好就是找情婦。

本傑明生前不但沒有為家族創造財富，還時不時找二哥丹尼爾．古根漢報銷開支，也就是古根漢家族的第二代族長，導致他女兒佩吉也無法從他那邊繼承什麼財產。一九一九年，佩吉滿二十一歲，根據爺爺邁耶的遺囑，可以繼承一部分爺爺的遺產，約合二百五十萬美元。別看和其他堂兄弟姐妹、表兄弟姐妹比起來不算多，這筆錢折算起來可相當於今天的三千五百萬美元。佩吉原本在藝術書店打工，得到這麼一大筆遺產後，馬上飛到巴黎「放飛自我」去了。

佩吉到了歐洲後，核心目標只有一個——花錢。在那個科技遠不如今日發達的年代，她不但做了鼻子整形手術，叫美國一代達達主義藝術大師曼．雷（Man Ray）幫自己拍藝術照，裙子也找高級定製鼻祖波烈（Paul Poiret）手工製作。除此之外，她的錢主要花在藝術上，當時歐洲的前衛藝術家幾乎都和這位古根漢家的大小姐打得火熱。

根據佩吉晚年的回憶錄記載，她一輩子有過四百多個情人，結過兩次婚。佩吉說自己完全無法抗拒有智慧、有藝術激情的男人，《等待果陀》的大劇作家貝克特、《尤利西斯》的大作家喬伊斯、大畫家畢卡索等人，全和她過從甚密。美國抽象主義繪畫大師波洛克（Jackson Pollock）、前衛藝術家杜象（Henri-Robert-Marcel Duchamp）等人則是佩吉捧紅的。在英國，她開設了現代藝術畫廊；在法國和義大利，她舉辦了以前衛藝術為主題的展覽。當時的歐洲現代藝術界，說與佩吉大小姐有交集的人才算真正混進了這個圈子，一點也不為過。

總之，從一九二一年到一九三九年，佩吉在全歐洲玩得不亦樂乎。這十幾年內，佩吉的身分與其說是一位藝術資助人，不如說她是個藝術大玩家。直到第二次世界大戰一聲炮響，納粹的鐵蹄踏向巴黎，潛藏在她體內的古根漢家商業基因才突然爆發。

戰爭的迫近讓當時巴黎的博物館、美術館、畫廊無不爭相拋售藝術品。好日子裡捧戲子，壞日子裡靠金子。平常被捧上天的藝術品一遇到戰爭，恐怕還不如一片麵包、兩瓶果醬來得實在。佩吉之前開過一間畫廊，入不敷出，但她體內畢竟流淌著商業家族的血液。和叔叔所羅門一樣，她看出此時正是收購藝術品的千載難逢好時機。於是乎，當法國在戰場上節節敗退，納粹長驅直入，別人跑路都來不及的時候，她留在法國耐心挑選藝術品。

根據佩吉的回憶錄記載，那時她強迫自己每天至少要買一幅畫。當時，學院派和古典派的藝術品還好，走在前端的前衛藝術品幾乎被貶得分文不值。古根漢家的大小姐搖身一變，立馬成為藝術品大買家，大量收購畢卡索、米羅、夏卡爾、達利、雷捷（Joseph Fernand Henri Léger）、恩斯特（Max Ernst）……這些藝術家的傑作，而且收購價格極低，有的甚至只要一千美金。

為了讓雕塑家布朗庫西（Constantin Brancusi）把他的傑作《空間之鳥》（*Bird in Space*）便宜賣給自己，佩吉用了各種方法，結果布朗庫西不給面子，仍然開價四千美金。為了得到這件作品，她一直等到德軍馬上就要衝入巴黎了才跑去布朗庫西的工作室，強迫他把作品交給自己——德軍就要來了，你看著辦。

瘋狂的佩吉女士就這樣連拐帶騙，弄走了一大堆藝術品。現在已經不能再稱「大小姐」，應該改稱「富婆」的佩吉，最後在德國逼近巴黎的四十八小時之內才離開。

但是，買是一回事，經營又是另一回事。剛回紐約時，佩吉又開了一間畫廊，很快就關門大吉。

在戰爭爆發藝術品大搶購之前，佩吉就知道叔叔所羅門涉足抽象藝術。一九三七年成立的古根漢基金會在所羅門的資助和希拉．李貝的主持下，辦得有聲有色，佩吉自己經營的畫廊卻入不敷出。後來她雖然重回威尼斯辦了好幾次現代藝術展，結果還是一樣。事實上，佩吉那種特立獨行的富婆和深度文藝女青年妄想狂式脾氣，很難成為一個好的經營者。

不過，她沒有經營天分不要緊，她叔叔有。所羅門向來看不慣這個侄女，但她手裡有這麼多藝術品就不一樣了。對所羅門來說，生意比個人偏見重要得多，便發出邀請，希望侄女把她的藏品拿到美國辦展。

佩吉其實也看不起叔叔，覺得所羅門是個不懂藝術卻偏要做藝術生意的人，但是她對於炫耀一下收藏這種事還是很有興趣。就這樣，雙方達成協議，佩吉的收藏在叔叔這裡展出，大獲成功。只不過當時還沒有古根漢博物館。

一九七六年，七十八歲高齡的佩吉終於決定把自己在威尼斯的家，也就是她的私人博物館捐贈給古根漢基金會。這位古根漢大戲第二幕的女主角，終於以和家族和解的方式，完成了她的歷史使命。她在威尼斯的家也成為古根漢博物館的威尼斯分館（Peggy Guggenheim

古根漢威尼斯分館

佩吉・古根漢之墓

Collection）。

三年後，一九七九年，藝術大玩家、古根漢家族的叛逆女、現代藝術歷史上的重要人物佩吉・古根漢與世長辭，走完了她傳奇的一生。骨灰埋葬在她的花園裡，一起埋葬的只有她養過的十四隻狗。

佩吉的叔叔所羅門一九四九年就去世了，甚至沒看到自己的博物館開張。希拉・李貝在所羅門去世後，和古根漢家族的人相處得很不愉快，一九五二年便不再經營基金會，並於一九六七年去世。

其實所羅門對於如何運用手裡的藝術品資源賺錢有一番自己的計畫，但還沒來得及落實，連他在內的幾位傳奇人物便匆匆退出了歷史舞臺。從第二任負責人斯威尼（James Johnson Sweeney）開始，古根漢博物館進入了職業策展人當家做主的時代。但也正是從斯威尼開始，古根漢博物館就朝向「不賺錢」的紅線一路狂奔。

斯威尼任內蒐集了不少藝術品，藝術界還創立了「古根漢獎」，但是博物館並不賺錢。其後，藝術研究家梅塞爾（Thomas M. Messer）接手古根漢博物館主席一職，一做二十七年，卻是換湯不換藥，藝術品收購得愈來愈多，博物館擴建裝修得愈來愈漂亮，可是仍舊入不敷出。

這一切，直到一九八八年一位叫克倫斯（Thomas Krens）的四十二歲中年男子接手之後，才發生了根本性轉變。克倫斯接管古根漢標誌著古根漢這齣百年大戲進入了最高潮的第三幕。這一幕只有一個男主角，那就是克倫斯本人。

克倫斯接手時，古根漢家族早就對經商沒什麼興趣——僅僅家族基金會留下的財產就將近二千億美金——這些貴族子弟也沒什麼做生意的動力。古根漢博物館雖然還是家族名下產業，但古根漢家族的人基本上不參與管理。

你一定想問，當時的古根漢博物館是什麼狀態呢？

其實與現在大部分私人博物館一樣，歷經好幾代後，經費相當吃緊，建築又需要整修，捐贈者的興趣早就被消磨得差不多。總之，克倫斯接手的是個爛攤子，但是和幾前任經營者不一樣，政治學出身的克倫斯腦中沒有那麼多藝術和浪漫幻想，他想更多的是如何解決問題。

對一般人來說，想賺錢無非兩種方法，開源和節流。無奈這兩點對博物館來說都很難做到。首先說開源。怎麼開源？賣館藏還是開發更多文創產品？更別說即使賣也不一定有人買。再說節流。怎麼節流？裁員還是縮減規模？不論哪種都會讓博物館元氣大傷。

好在克倫斯不是一般人，他想出來的招數一般人大概想不出來，那就是擴大規模，開分館！

一般人看來，這簡直是瘋了。可是克倫斯並不是一般人，他看到了一般人看不到的東西。

從二十世紀六〇年代起，連鎖經營這種模式率先在快速流通的商品領域發展起來，由於規模擴大了，看似會增加的成本，其實反而會降低。因為有許多家分店，商店的性質也發生了改變，不再是獨立的商業體，而是「出貨管道」，店開得愈多，覆蓋面積愈大，管道愈寬，就會有更大的底氣與別人談更低的進貨價，從而自根本上降低成本。在管理方面，儘管店愈開愈多，但倉儲、管理這些核心且燒錢的後勤部門卻是同一個。這樣一來，最核心的成本反而極低。

成本低了，售價就低，售價低，競爭力就強，經營策略就能更靈活多變。比如我們再熟悉不過的便利商店，商品種類經常更換，而且更新速度極快，就是因為極大的分店（管道）規模帶來的主動效應。等到「連鎖加盟」出現之後，比單純的「連鎖」更往上了一階，連開店的基礎費用都不用出，只需要提供品牌和管理辦法，就可以心安理得地拿走該分店相當一部分的利潤。

可是，不管多美好，連鎖模式在快速流通領域吃得開，放到博物館經營也行得通嗎？克倫斯決定試試。

克倫斯首先考慮到，剛開始開分館，肯定沒人主動上門投資，要自己出錢投資，所以成本一定要低。一九八六年，他慫恿一些基金會把一間麻塞諸塞州的廢棄工廠改建成藝術博物館，沒想到一舉成功。信心大增的克倫斯開始說服更多投資人投資。無奈他的想法過於激進和大膽，沒什麼人願意投資。於是克倫斯決定冒險在澳洲試試，結果很快就陷入了困境。

就在這時，西班牙的巴斯克政府主動找上門來。

古根漢畢爾包分館

早在一九九一年，有些學者就已察覺了克倫斯的擴張主張，他們發現，克倫斯實際上就是想在全球開「古根漢牌的麥當勞」，而對這個主張最典型、最完美的詮釋，就是古根漢與西班牙巴斯克政府合力推出的古根漢畢爾包分館。

首先，畢爾包在西班牙是個特殊的存在，此處坐擁山林、海灘，風景優美，氣候宜人，交通四通八達，興建一間現代藝術博物館可謂非常理想。同時，巴斯克地區在西班牙是個高度自治的地區。換句話說，巴斯克政府想做的事情，西班牙國家政府無法干涉太多。

二十世紀八〇、九〇年代的巴斯克地區是一片老舊工業區，傳統工業已經沒落，城市亟須轉型。當地政府決定建設一個規模巨大的文化場所，但身為老工業城市，缺乏這方面的經驗，正好克倫斯懂，正愁沒資金擴張，雙方簡直就是天作之合。

就這樣，古根漢畢爾包分館在巴斯克地區迅速拔地而起。所有資金都由巴斯克政府提供，古根漢方面只要出展品、品牌、指導，分帳時卻可以拿走大部分，而且就連展品，古根漢也是從其他館「挪」過來的。當時的《華爾街日報》抱怨，古根漢因為擴張，每家博物館的展品都變少了。

不管怎樣，畢爾包分館取得了巨大的成功。畢爾包成功轉型為旅遊觀光型城市，古根漢賺得口袋飽飽，只要把旗下全部展品的五%輪流放入畢爾包分館展出就行，名副其實的「臉你露，錢我賺」。

畢爾包分館的成功鼓舞了克倫斯的雄心壯志。從此以後，古根漢在「博物館連鎖」這條道路上愈走愈遠，克倫斯的博物館生意經也愈做愈精明。在柏林、威尼斯、拉斯維加斯，甚至在阿布達比，古根漢的擴張道路愈來愈寬廣。

克倫斯也漸漸歸納出幾個重要的經營理念。

第一是國際化。做便利商店連鎖，十幾個住宅社區就夠，做博物館連鎖，唯有國際化、全球化。

第二是品牌化、高端化。從所羅門時代的古根漢博物館就明白一個道理，展品的水準不完全取決於它自身的價值，商業炒作的作用很大。克倫斯在二十世紀九〇年代就策劃了一系列著名的全球主題巡迴展，比如「中國五千年文明藝術展」、「阿茲特克帝國展」等，對於旗下的主力商品，也就是現代藝術作品更是全力炒作。再加上全球每座分館都一如既往地在建築形式上玩神祕、玩高端、玩現代感，「古根漢」這塊牌子也愈來愈高端、愈來愈神祕、愈來愈吸引人。

第三是「借花獻佛」，全力降低成本。剛開始的展品都來自古根漢旗下，後來發現借別人的收藏，或讓別人捐贈，一樣可以辦展覽。

古根漢柏林分館

對於現代博物館的功能和屬性，克倫斯有一套獨特的見解。他說：「十八世紀的博物館是百科全書，十九世紀的博物館意味著專業，二十世紀和二十一世紀，博物館是品牌。」也正是秉持這樣的精神，古根漢在克倫斯的帶領下獲得了新生。克倫斯任內，古根漢博物館獲得的捐贈額從二千萬美元飆升到了一億一千八百萬美元。

當然，克倫斯的改革和做法也引起了非常大的爭議。很多學者就抨擊他的博物館經營方式太過商業化，是文化界的災難，就連古根漢基金會董事會主席都覺得他膽子過大，要求他削減預算。同時，克倫斯的做法確實有風險，拉斯維加斯和紐約 SOHO 分館都相繼倒閉，很多分館計畫最後也無疾而終。但無論如何，縱觀這些年的發展，當各博物館，尤其是私人博物館的頭上永遠高懸「經費不足」時，古根漢不僅成功養活了自己，還賺了大把的錢，甚至催生出「文化帶動地區經濟」的奇蹟。不得不說，這的確是一套成功的博物館商業機制。

博物館是人類歷史上一種如此特別的機構，在不同的年代扮演了不同的角色，時而是帝王的功勳牌匾，時而是祕藏的百科全書，時而是現代科學教育的工具，時而又成了商業賺錢的聚寶盆。

然而，無論具備怎樣的功能、扮演什麼角色，博物館始終忠實記錄和傳承著我們這個星球和我們這個物種的興衰成敗和榮辱沉浮。走進一間博物館，就如同走進了一家時光與歷史的超市，每個人都會有他自己的選擇。

CHAPTER

11

大開眼界：奇奇怪怪的博物館

與收藏書畫、雕塑等藝術品和文物不同，這些博物館的主題和藏品令人大開眼界，犯罪、頭髮、下水道、鉛筆、鐵絲網，甚至是流浪漢。

這一章要介紹的博物館只有一個主題——奇奇怪怪的博物館。

犯罪博物館（Crime Museum）

第一家博物館位於英國倫敦，人稱「黑色博物館」。倒不是說這家博物館的牆被刷得像烏鴉一樣黑，而是說它展示的內容和主題太「黑色」了。這間博物館的正式名字是「犯罪博物館」，是的，這是一間專門展示犯罪證據的博物館。

誰有權力開這樣一間博物館呢？當然是對犯罪最熟的人，警察。

這間犯罪博物館是英國蘇格蘭場（New Scotland Yard）開辦的，蘇格蘭場一開始是專門給警察研習和參考用的教學機構，並從二〇一五年開始向大眾開放。

說到蘇格蘭場，愛看影集《新世紀福爾摩斯》的人肯定有所耳聞。其實當年柯南．道爾寫《福爾摩斯》時，蘇格蘭場就已是「英國倫敦警察廳」的代稱，並乘著偵探小說的東風變得舉世聞名。

倫敦的警察廳為什麼叫「蘇格蘭場」呢？這是因為一八二九年倫敦警察廳成立時，前門在白廳（Whitehall Place）——現今英國的國防部、外交部所在地，而開放給一般大眾的後門，也就是報案的地方，設立在蘇格蘭大街。蘇格蘭大街的英文是 Great Scotland Yard，後來倫敦老百姓一提起倫敦警察廳，就直接以「蘇格蘭場」做為代稱了。

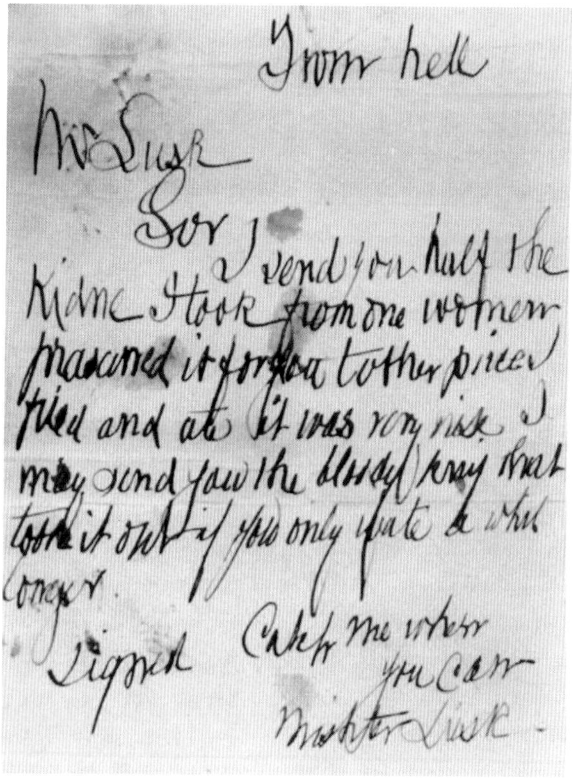
From hell
Mr Lusk
Sor
I send you half the
Kidne I took from one women
prasarved it for you tother piece I
fried and ate it was very nise I
may send you the bloody knif that
took it out if you only wate a whil
longer
Signed Catch me when
you Can
Mishter Lusk

「地獄之信」

犯罪博物館到底陳列什麼呢？

館內展示的都是歷史上一些知名犯罪案件的相關實物。比如鑄造偽幣的工具、偽裝成雨傘的步槍、用來走私毒品的易開罐、用硫酸來溶解屍體的全套工具等，件件看得人頭皮發麻，不自禁感嘆人類一旦喪失了人性，內心的黑暗完全沒有底線。

眾多展品裡，最具代表性的無疑是開膛手傑克（Jack the Ripper）的「地獄之信」。

開膛手傑克可以說是人類歷史上最臭名昭著也最神祕的連環殺人凶手。一八八八年，這位殺手在倫敦白教堂地區連續殘忍殺害、肢解了五名妓女，犯罪手法出乎意料地大膽，徹底挑釁英國司法界。二〇〇六年在BBC主持的民調中，開膛手傑克被英國民眾票選為「歷史上最壞的英國人」。

而且，他犯案後就神祕失蹤，直到現在

都沒有歸案。換句話說，開膛手傑克實際上仍然逍遙法外。他到底是誰？為什麼要這麼做？又是如何成功策劃殺害受害者並逃出生天？最後又去了哪裡？諸多問題如今都已永遠無從得知答案。

儘管後來有無數人宣稱「完美」破獲此案，但至今尚未出現具備絕對說服力的答案。開膛手傑克就像是從地獄而來，嘲諷了一下英國的司法制度，然後就消失得無影無蹤。

如果只是殺了五個人，開膛手傑克恐怕不會那麼有名。真正讓他聲名大噪的是，行凶期間，他居然主動寄信給警方。無疑是種赤裸裸的挑釁，卻也開了先河，後世很多連環殺手都玩起同一招，寄信給警方，故意提供一些或真或假的線索或謎題，與警方大玩「貓捉老鼠」的遊戲。

一八八八年九月到十月，英國媒體和警方相繼收到三封信。白教堂警戒委員會的一名成員十月十六日收到了第三封信，這封信最有名。因為隨著信件，還寄了個小盒子，裡面裝著半顆人類的腎臟。又因為信的開頭幾個字是「來自地獄」，這封信也就被稱為「地獄之信」。好萊塢曾於二〇〇一年上映了一部由大明星強尼・戴普主演的電影《開膛手》，說的就是關於開膛手傑克的案件。

這封開膛手傑克寄來的信，就陳列在倫敦犯罪博物館裡。據說從字跡來看，和凶手的前兩封信相比，這封潦草了很多，似乎表明凶手寫的時候很緊張。後來又有刑偵專家說，這是因為凶手在寫信時，精神已瀕臨崩潰，所以字跡看起來也非常狂躁。凝視這封信，想到一百多年前那一連串連環殺人案件，的確讓人毛骨悚然。

犯罪博物館也有展示光明面的展品。比如斯特拉頓兄弟（Stratton Brothers）使用過的面具。

一九〇五年，一對老夫妻在自家商店裡被搶劫，七十多歲的男主人慘遭殺害，六十五歲的女主人被毆打，奄奄一息。警方勘查現場時發現，凶手留下了兩張絲襪面具，代表行凶的很可能是兩個人。警方也在現場發現了一只男主人平常裝錢用的皮箱，箱上有一塊油汙痕跡，仔細查看發現油汙留有凶手的指紋。警方將這枚指紋和嫌疑人斯特拉頓兄弟的指紋比較，發現和哥哥的指紋完全吻合。一九〇五年五月五日，兄弟兩人以謀殺罪遭到起訴。

在那個年代，指紋尚未被全面用於指控犯人的證據，控辯雙方在法庭上針對指紋到底能不能當作定罪證據爆發了一場大辯論。今天如果和犯罪現場的指紋吻合，犯罪嫌疑人很難為自己開脫，可是在當時，人們還沒意識到指紋對於每個人來說都是獨一無二的「條碼」，還有很多人深信世界上存在著一致的指紋。因此在這場辯論中，除了用指紋當證據，還進行了大量調查，使用大量側面證據，總算讓斯特拉頓兄弟定了罪，把這對殺人凶手送上絞刑架。

這是英國歷史上第一次以指紋為證據讓犯人定罪的案件，不過並不是世界上第一起。用指紋破案，早在中國的戰國時代已有明確的竹簡記載，現代社會的第一件指紋定罪案件則發生在一八九二年的阿根廷。

一八九七年，英國人愛德華・亨利（Edward Richard Henry）發明的「亨利指紋分析法」首次被印度的英國殖民政府採用。現今，指紋之外，皮膚、毛髮、DNA等更精確的證據，都已納入刑事偵察的範疇，攝影機、大數據、網際網路也布下了天羅地網。開膛手傑克如果生於今日，他那套在一百多年前看起來神祕莫測的犯罪手法，恐怕再也難逃法網。

參觀犯罪博物館的意義，一方面在於讓我們了解人性的黑暗和險惡，提高防範意識；另一方面也清楚地宣告著，犯罪的成本愈變愈高，難度也愈來愈大。

頭髮博物館

接下來要介紹的奇怪博物館是頭髮博物館。

世界上專門收藏頭髮的博物館有好幾家，其中一間位於土耳其，博物館館主是一位土耳其陶藝家，迄今為止已經收藏了一萬六千多名女性的頭髮，還把它們都懸掛在一個洞穴裡。與其說這是間博物館，不如說是變態連環殺手的貯藏室。這樣的博物館只有噱頭，沒什麼價值。

另一家頭髮博物館就有點意思了。這間由髮型師創辦的博物館位於美國密蘇里州，館主從二十世紀四〇年代開始收藏各種各樣的頭髮，現在館內不但有麥可．傑克遜的頭髮、瑪麗蓮．夢露的頭髮，甚至還有英國維多利亞女王的頭髮。

而且，這家博物館的收藏，更精準地說，應該是所謂的「Hair Art」，也就是用頭髮製作的藝術品。截至目前為止，已經收藏了超過六百多個髮圈，還有二千多件用頭髮製作的藝術品。

這些東西一開始本來只是用於紀念。比如，丈夫上戰場打仗，妻子在丈夫臨行前用自己的頭髮編一個小小手作品，讓丈夫隨身攜帶。後來慢慢演變成了一種藝術品。這家博物館裡有美國南北內戰時期，妻子讓丈夫帶去戰場的頭髮製錶帶；有奧斯威辛集中營裡用猶太囚犯的頭髮製作的工藝品；還有十九世紀早期開始傳承、用歷代家人的頭髮編成的「頭髮家譜」。頭髮也用它們的方式記錄著歷史。

中國也有兩家別具特色的頭髮博物館。一家在北京的舊鼓樓外大街，由著名的四聯美髮店開設；另一家在上海，位於陸家嘴華潤時代廣場。這兩家博物館的主題只有一個——美髮。

人類對髮型的追求，由來已久。古人各種炫酷髮型，從「雲鬢花顏金步搖」、「寶髻鬆鬆挽就，鉛華淡淡妝成」等詩詞就能領略個大概。如果要說現代人的髮型，從晚清男人剪掉辮子開始算起，人們在「洗剪吹」這件事上，不知道投入了多少時間和金錢。從男士的平頭、寸頭、飛機頭，到女士的長髮、短髮、辮子、劉海、大波浪，為了美，人類真是費盡了心機。

北京的美髮博物館裡，從先秦時代一直到現在的各種梳髮和理髮工具，各朝代的不同髮型都有展示。上海的美髮博物館主要則是展示從華人剪髮起源的清代至今，總共七千多件的做髮型器具、梳妝用品，還有圖文書畫、美髮雜誌，讓人大開眼界。

參觀這樣的博物館，說不定會讓你突然靈感大發，為自己設計出一個特別酷的髮型，不虛此行！

下水道博物館（Paris Sewer Museum）

接著要介紹一間更另類的博物館，下水道博物館。

下水道博物館位於巴黎，全名「巴黎下水道博物館」，其實就是巴黎在十九世紀建設的地下下水道系統。這間博物館的入口是一個人孔蓋，位於巴黎塞納河的阿爾瑪橋（pont de l'Alma）旁邊、艾菲爾鐵塔東側。只要你找到這個下水道入口，花上四．五歐元就可以入內參觀。

打開下水道口，沿著螺旋鐵梯往下走，真應了「豁然開朗」這句話——一座巴黎正下方的「城下之城」，就這樣映入眼簾。

我們都看過很多與下水道有關的故事和作品。忍者龜就住下水道，《蝙蝠俠》、《蜘蛛人》、《守護者》這些超級英雄漫畫裡，下水道都是重要場景。經典法國喜劇片《虎口脫險》（*La Grande Vadrouille*）展示過巴黎龐大的下水道系統，百老匯著名音樂劇《歌劇魅影》中，華麗的舞臺世界下面也有一個不見天日、龐大神祕的下水道世界，是男主角的棲身

巴黎下水道博物館

地。電影《偷天換日》、《絕地任務》、《辛德勒的名單》，甚至《刺激一九九五》，都有和下水道相關的情節。

參觀這間貨真價實的巴黎下水道博物館之後，你更將明白，為什麼西方文化裡有那麼多和下水道有關的內容，因為這下水道實在是太大了！

以巴黎來說，典型的溫帶海洋性氣候，是一座雨量相當多的城市。二〇一七年七月，巴黎在一個小時內的降雨量超過了五十公釐，地鐵和商場多處被淹。但即便如此，真正發生全城水災的情況並不多。一九一〇年，巴黎發生大洪水，塞納河的水位高達八公尺又六十公分，讓巴黎成了「水上之城」，大街上民眾划船出行，老照片歷歷為證。另外兩次比較大的洪水則發生在二〇一六年和二〇一八年一月。

然而，即使發洪水，巴黎也從沒因洪水而傷了元氣。背後功臣是誰？巨大的巴黎地下水道居功至偉。

早在中世紀的法國國王腓力二世就已預見，巴黎將來可能會修建下水道。到了十四世紀巴黎興建大街時，就先在要鋪設路面的地方安插一排排的拱形磚石，然後再在上面鋪路面，為將來興建下水道時預留了空間。

巴黎曾於十九世紀中期爆發過一次水災，當時的水災帶來了瘟疫，造成大規模的霍亂。災後人們痛定思痛，決定修建一套前所未有的下水道系統，避免再發生類似的悲劇。在這之前，巴黎的衛生條件很差，巴黎人當時的飲用水主要來自塞納河，可是生活汙水也直接排進河裡，汙染程度可想而知。

下水道系統在興建之初就修建了六百公里長。隨後愈修愈長，下水道二千四百公里、人孔蓋二萬多個、蓄水池六千多個，汙水處理管線長達一千四百多公里，比巴黎的地鐵還長。這個龐大的下水道工程一直用到二〇〇四年才完全退出歷史舞臺。

早在十九世紀末，巴黎市民就開始參觀下水道了。

既然是下水道，館內是不是很髒、味道很難聞呢？真正供人參觀的下水道是一座地下洩洪用的排水道，相當於一座巨大的地下工廠。從老照片來看，當時有一千多名專業工人在這個巨大的地下空間裡上班，汙水都是透過管線處理，所以博物館裡沒有任何異味，地下水道的水面上也沒有漂著髒東西。後來，巴黎的天然氣管道和電纜也都收納在這個系統裡，形成了一個完整的地下世界。

巴黎的下水道先進到什麼程度呢？如果不小心把貴重東西掉進下水道，打通電話，就可以按照掉下去的位置找回來。

根據博物館提供的數字顯示，現今巴黎的下水道每年從汙水中回收的固體垃圾有一萬五千立方公尺之多，配備了四座汙水處理廠，日淨化水能力為三百多萬立方公尺。淨化後的水直接排入塞納河，用來沖洗街道、植樹造林、養花養草的水每天則有四十萬立方公尺。換言之，地下水道幫助巴黎形成了一個完整的水循環系統，而且發揮了巨大的作用，每天都有超過一萬五千立方公尺的城市汙水從這個百年歷史的下水道系統排出市區。

堪薩斯鐵絲網博物館（Kansas Barbed Wire Museum）

接下來要介紹位於美國堪薩斯州的鐵絲網博物館。這家博物館最讓人吃驚的是，這裡居然蒐集了二千多種不同類型、不同用途的鐵絲網！

鐵絲網博物館內展出了二千四百多種帶刺鐵絲網和五百多種用來建造圍欄的工具，還設有 Lee 和 Ruby Shank 劇院、Larry Greer 研究中心、圖書館和鐵絲網名人堂（Barbed Wire Hall of Fame）。到此一遊將了解鐵絲網的歷史，並透過展覽和立體模型明瞭鐵絲網對於十九世紀堪薩斯的定居地點具有何等影響力。因為事實上，鐵絲網的發明和帶刺鐵絲網的使用，標誌的是開放範圍的結束。

對於這家博物館來說，收藏鐵絲網是件相當嚴肅的事，並不純粹為了鬧著玩、搞噱頭。因為鐵絲網把美國帶進了一個新時代，也將世界帶進了一個新時代，鐵絲網背後有著可歌可泣、史詩般的故事。

鐵絲網是怎麼被發明出來的？

一八七四年，美國剛開始開發廣袤的大西部，加利福尼亞大草原絕大部分地方都是荒野。荒涼的大草原上多有野獸出沒，偶爾還有危險的流浪漢和匪徒，在如此荒涼的地方開拓、生活，很不容易，所有的蔬菜和水果都要自己種。

有戶農家的主業是畜牧，養牛養馬，也開闢了果園種菜，由於大草原上沒什麼樹木，沒有材料建籬笆，他們只能豎起一些很矮的柵欄，粗略地遮擋一下，免得牲口毀壞水果和蔬菜。這家農戶雇了個名叫格利登（Joseph Glidden）的牧人照料牲口，結果格利登工作不用心，牲口撞翻了柵欄，毀掉不少蔬果，惹得農場主人大發雷霆。

格利登很聰明。他發現有一面柵欄上長了薔薇，牛羊等牲畜幾乎不會跨過去。他馬上就把鐵絲綁在柵欄上，並凸出尖刺的部分，也就是鐵蒺藜。這樣一來，牲畜再也不敢跨過柵欄，而一項劃時代的發明——鐵絲網——就此誕生。

當然，鐵絲網到底是怎樣被發明的，歷來版本眾多，這只是眾多版本之一，但在這個故事裡，有幾個關鍵字需要特別注意：西部開發、畜牧業、牧人，或是更為世人耳熟能詳的另一個字詞：牛仔。

讓我們先把時間推回到一八六五年。一八六五年的美國發生了幾件大事，比如持續四年的南北戰爭結束、林肯總統遭到暗殺、美國廢除奴隸制，以及另一件看似不起眼，後來卻證明大大改變美國的事，那就是「火車冷藏車廂」的發明。

由於「火車冷藏車廂」這項技術的發明，牛肉忽然成為一種非常有前途的大宗商品。南北戰爭後的美國，全國市場隱然成形，東部大城市亟需大量西部出產的牛肉製品，等於為美國西部的畜牧業打了一針強心劑。當時美國的鐵路還不發達，最西只能到堪薩斯州。為了掙錢，大牧場主紛紛擴大牛群數量，因此需要大量的人協助把大量的牛趕到堪薩斯火車站。這樣一來，一個嶄新的職業誕生了——牛仔。

大西部的廣袤和自由吸引了大量尋求冒險的外國人、渴望新天地的城市人，甚至黑人、印第安人、墨西哥人，他們統統加入了牛仔的行列，大多也是風華正茂的熱血年輕人。

牛仔的生活並不像西部電影裡描寫的那麼浪漫。這份工作骯髒又危險，而且很艱苦，但這份工作也同樣自由、奔放、充滿野性。放牛或押送牛群的路上，有突如其來的風雪、野生的狼群和匪徒的冷槍，面對這些挑戰，牛仔們仍然無畏前行，獨立、自由，過著一種粗獷的生活。

然而，牛仔的歷史只維繫了二十多年。一方面在鐵絲網發明之後，尤其是帶鐵蒺藜的鐵絲網，牛、馬等牲畜走到鐵絲網邊自然而然就不走了，草原上的農家用鐵絲網圈起了一塊又一塊草場，無須人力看管也能放牧。另一方面，牧場之間以前往往有嚴重的邊界問題，牧場主僱用的牛仔一半是牧童，一半是打手，鐵絲網的出現則讓這類爭議日漸煙消雲散。到了後來，除了以畜牧業為主的牧場，務農的農場也開始修建鐵絲網，美國的西部大地上到處是一塊塊由鐵絲網圈成的土地，和英國的圈地運動很像。

一八八九年，克利夫蘭（Stephen Grover Cleveland）總統宣布開放荒地買賣，停止私自圈地，以明確產權。這時，鐵絲網又從私人圈占土地的工具，變成了明確產權的標誌。當時美國的鐵路運輸和運河運輸也開始逐步發展，導致牛仔漸漸消失，最後徹底銷聲匿跡，僅在歷史上延續了二十多年。

雖然僅僅存在二十多年，牛仔的開拓仍然在美國史上留下了濃墨重彩的一筆，那自由、奔放、勇敢、樂觀、敢於挑戰的形象也深深影響了美國，讓牛仔精神成為美國精神中一個重要的組成。曾經匯聚大批牛仔、曾是美國鐵路最西端的堪薩斯州，今日也依然是牛仔形象、牛仔文化盛行的主要地區之一。

牛仔消失了，鐵絲網的故事還沒完。

第一次世界大戰爆發後，誕生於美國的鐵絲網成了歐洲戰場上的搶手物。機關槍、地雷、速射炮這類現代化武器和鐵絲網、壕溝，無疑是塹壕式攻防戰的絕配。鐵絲網在戰場上鋒頭極健，直到英國人發明的坦克橫空出世，才徹底壓制了鐵絲網的威力。

隨後，人們又在鐵絲網的基礎上發明了電網，而且不但用於軍事，也用在監獄、集中營，以及家用防盜。二次大戰期間，蘇聯領導人史達林的長子雅科夫．朱加什維利（Yakov Dzhugashvili）被俘，關押在柏林附近的薩克森豪森集中營，後來和戰友一起試圖越獄時，就是被集中營的鐵絲電網電死的。

既是終結牛仔時代的產權標誌，又是戰場上的屠殺機器，也是極具威力的防護工具。鐵絲網的歷史充分證明了愛迪生那句話：「一切工具和機器，不過是人類肢體的發展而已。」

流浪漢博物館（National Hobo Museum）

接下來要介紹位於美國愛荷華州的流浪漢博物館。

很多文藝青年腦袋一發熱，就在網路上寫下「好想去流浪」、「我一直都在流浪」、「我在人海中流浪」等文字，但我深信凡是這麼說、這麼寫的人，八十%都沒有真正流浪過。

一旦你真的流浪了就會明白，這不是遊戲，而是人生。而只要是人生，浪漫總是少數，苦澀總是多數。

美國的流浪漢博物館收藏了大量和流浪漢有關的物品，包括工藝品、藝術品、照片、檔案等，真實記錄了美國流浪漢族群的生活。

美式英文的「hobo」一字，最早特指美國早期那些沿著鐵路一路流浪，到處以打短工為生的人，和「Tramp」這個單字指的無業遊民或乞丐不太一樣。Hobo 絕大多數是老實的失業農民、工人、退伍傷殘軍人，當然也有一些地痞流氓和慣犯。這些人最早是在美國南北戰爭之後出現的，他們在鐵路沿線四處遊蕩，有時候溜上火車到處轉轉，有時候彼此遇到就結伴一起走。一路上，遇到農場需要人幫忙收割，就幫忙收收麥子；有居民需要修理牲口棚，就做點力氣活。而做的最多的，則是在美國南方各省幫忙採收棉花。

美國的流浪漢擁有自已的組織，成立了「國家流浪漢大會」（National Hobo Convention），簡單說就是美國的丐幫。和武俠小說裡的丐幫最像的是，這個組織每年會一起開一次年度會議，大家在黃昏後集中在一起，點燃篝火，唱歌跳舞、講故事，甚至還朗誦詩歌，別有一番情趣。在大會上，他們甚至會選出每年的最佳 Hobo，從男性裡選一位 Hobo-King（流浪國王），女性裡選一位 Hobo-Queen（流浪皇后），自得其樂。

別看他們是流浪漢，其中的人才還不少。

流浪漢博物館裡，你會看到他們用各種材料改造的工具和器具，比如用塑膠桶做的凳子、用油漆桶做成的爐子，還能看到很多藝術品，像是用別人丟棄的照片、明信片、家具、衣物製作而成的畫作和工藝品，說明 Hobo 絕不是無組織、無紀律，他們也有自己獨特的生活方式和人生追求。

流浪漢之間有一套獨立的暗語系統，通常都是用粉筆或其他東西在路上畫各種記號。對一般人來說，這些記號沒意義、看不懂，可是流浪漢彼此之間卻能互通聲息。牆上畫個鋸齒代表這裡有咬人的狗；畫個手杖代表是醫生住的地方；畫個十字架代表有教會或慈善機構會在這裡發放食物；畫兩把鏟子代表這裡有臨時工作的機會。

不要小瞧流浪漢，他們也有自己的「行規」。一八八九年的流浪漢大會制訂了一套流浪漢行走江湖的規矩。比如「始終尊重官員和法律，做一名紳士」，不能違法；再比如「不允許利用弱勢群體、當地人或其他流浪漢」，假冒傷殘人士騙錢或行乞更是不被允許。

其他規定聽起來更令人感動。比如要守信用、盡量保持清潔、幫助迷路的孩子回家等。甚至規定身為流浪漢，如果目擊了某些事，而法庭需要你做證，你要全力去做證。

這些規定除了讓我們對這些生活在社會邊緣、毫不起眼的人肅然起敬，也可以看出他們其實並不想成為 Hobo，而是時時嚮往著回歸正常人的生活。

事實上，美國的 Hobo 裡出過很多名人。比如著名的勞工活動分子喬・希爾（Joe Hill），美國作家、拳擊手吉姆・塔利（Jim Tully），流浪歌手、詩人烏塔・菲利浦斯（Utah Phillips）等，這些人也許永遠不會成為社會文化的主流，但同樣為這個世界帶來了精彩。他們的人生、他們的生活，當然也有獨特的價值和意義。

Hobo 的第一條規則是「決定你自己的人生，別讓別人驅使你」，對我們來說，誰說不同樣適用呢？

鉛筆博物館（Derwent Pencil Museum）

說完了流浪漢博物館，讓我們把目光投向英國的凱斯克（Keswick）小鎮，這個小鎮位於湖區北方，風景非常優美，鎮上坐落著一間特別小的博物館，一間鉛筆博物館。

這家鉛筆博物館展示了世界上各種各樣的鉛筆，除了普通鉛筆、彩色鉛筆，還有最早用來製作鉛筆的工具、鉛筆的生產流程、當年的鉛筆廣告等，也提供參觀者把自己的名字刻在鉛筆上做成紀念品帶回家的服務。

我想大家都用過鉛筆，但我們卻未必了解鉛筆的故事。

鉛筆是怎麼出現的？剛開始學寫字時為什麼用鉛筆？鉛筆上標注的那些「H」或「B」字母又是什麼意思？最重要的是，這東西明明是石墨做的，為什麼叫「鉛」筆？

鉛筆博物館

鉛筆博物館內一景

最早在古羅馬時代就有人使用鉛筆了，那時的人會用鉛棒來做標記，不過當時還沒有「鉛筆」這個概念。十六世紀中期，一些英國的牧羊人開始用石墨塊在羊身上做記號，成為鉛筆的雛形，但那時的人認為石墨是鉛的一種，把石墨叫做「黑鉛」。

後來人們發現，純石墨太軟了，沒辦法好好地書寫，就把石墨和其他東西摻和在一起。一開始用硫黃、銻，後來改用黏土。黏土的成分愈多，筆芯愈硬，寫出來的字跡愈淡。英文的「硬」是「Hard」，首字母是「H」；相反地，如果黏土的成分少，石墨的成分多，筆芯就愈軟，寫出來的字跡也愈黑。英文的「黑」是「Black」，首字母是「B」。於是乎，HB鉛筆就是指普通鉛筆，也叫硬鉛筆，字跡很淡；考試填機讀卡的鉛筆則是2B的，顏色很黑，筆芯也比較軟。

事實上，顏色最黑的鉛筆是6B，一般用來畫畫。那能用6B這樣黑的筆芯來填機讀卡嗎？不可以。因為電腦只能識別2B這個濃度的筆跡，過淡或過濃的筆跡都無法識別。

鉛筆博物館的門前立了一塊牌子，上面寫著「Home of the world's first pencils」，寫的是複數形的「pencils」，而不是單數形，因為世界上第一支真正意義上的鉛筆到底誕生在哪裡？尚未有定論。

在德國，人們首先用黏合劑來中和柔軟的石墨；在法國，人們製作出比較耐磨的筆芯；在美國，人們率先把木條和石墨黏土筆芯合起來使用。鉛筆博物館門前的標語真是妙極了——世界上最早一「批」鉛筆的家。此地也的確是世界上最早大量生產鉛筆的地區。

至於為什麼學寫字推薦使用鉛筆呢？完全是考慮安全性的問題。孩子誤食鉛筆灰的機率，比誤食墨水和墨汁的機率低很多。

尾聲
我們今天所知的歷史是真實的嗎？

愈來愈多證據表明，人類以往對於歷史的看法很可能存在極大的偏見。現今大部分史書都出自歐亞歷史學家之手，也就是說，都是站在歐洲人和亞洲人的立場而寫，導致我們腦中的世界歷史變成了一部「歐亞視角歷史」。我們也很少拿起一本伊朗學者或非洲學者寫的歷史著作來看。

這在客觀上造成了某種「文明歧視」，當我們欣賞電影《三〇〇壯士：斯巴達的逆襲》時，很容易認為古希臘是「正義」的一方，古波斯是「邪惡」的。但如果細看歷史就會發現，希波戰爭雙方都難言正義。再比如，我們提到漢朝與匈奴、唐朝與突厥、宋朝與契丹之間的關係時，總自覺或不自覺地為漢、唐、宋貼上「正義」的標籤，把少數民族都視為蠻夷、胡虜。

再進一步放眼全球，類似的文明歧視和文化偏見現象就更多了。

一九八二年，哥倫比亞大作家馬奎斯（Gabriel García Márquez）獲得諾貝爾文學獎後，在獲獎演說裡說了一句重要的話：「我們最大的挑戰，是無法用常規的方法使別人相信我們真實的生活。」

的確，無知和偏見往往來自我們接收資訊的管道和思維模式過於單一，導致真實的歷史消失無蹤，只剩下我們願意接受和相信的歷史。對此之外的東西，我們其實一無所知。

一路下來我介紹了很多博物館，不知讀者有沒有發現，人們對於古代文明的重視程度，其實是厚此薄彼、不太公平的。很多歷史上曾經非常輝煌的古代文明慢慢被邊緣化，尤其是那些和歐亞交集較少的文明，都有意無意「被淡出」了歷史，變成「失落的文明」。以至於現在我們提起古代文明，總覺得似乎世界上就只有過古埃及、古希臘、古羅馬、古印度，除此之外都不重要、不值得一提。

隨著近年歷史研究的逐步深入，我們發現這並不是歷史的真相。

那些被邊緣化的失落古文明，有些近年已逐步回歸人們的視線；有的仍然在歷史中沉睡，期待人們某一天能重新發現它們，意識到它們曾經存在於地球上。

第一個要說的和古埃及有關。

提到古埃及，我們總愛說「古埃及人發明了什麼」、「古埃及人建造了什麼」，說多了，留下的印象彷彿古埃及自始至終都是同一個人種、同一個民族，擁有同一種風俗習慣。

根據古埃及的壁畫、木乃伊棺木、雕塑等推斷，純正的「古埃及人」今已不存，今日與其血統最接近的是北非的科普特人。而且根據研究顯示，真正的古埃及人比現今的科普特人還高，皮膚呈古銅色，很可能兼具黃種人和阿拉伯人的特徵。

此外，古埃及地區並非一直由古埃及人統治。就像古代中國的歷史是由秦、漢、隋、唐、宋、元、明、清等組成的一樣，在古埃及長達幾千年的歷史裡，曾經有過三十一個王朝，統治者來自不同的民族，甚至是完全不同的人種。

古埃及早在西元前十七世紀的第十三王朝時期就遭到來自亞洲的喜克索斯人入侵。較為激進的專家學者主張，真正意義上的古埃及人在那時就被消滅了。等到西元前十一世紀，一支來自埃及南部尼羅河上游的神祕力量——努比亞人，異軍突起，建立了一個強大的王國，也就是庫施王國（Kush）。

努比亞人早期臣屬於古埃及，除了進貢象牙和黃金，也提供大量的奴隸，統治中心位於今日的蘇丹共和國納帕塔（Napata）一帶。西元前八世紀，庫施王國在國王皮耶（Piye）帶領之下，趁著古埃及內亂的機會，一舉征服全埃及，建立了古埃及第二十五王朝。

二〇一七年，中國國家博物館曾舉辦名為「大英博物館一百件文物中的世界史」展覽，展出了很多來自大英博物館的珍貴藏品。眾多藏品中，有一尊沙伯提雕像（Shabti）出自西元前六四四年的塔哈爾卡國王（Taharqa）陵墓。這尊雕像的面容上，我們已經看不到之前古埃及雕像那種稜角和線條分明的臉，完完全全是純正的尼格羅人種，也就是黑人。很顯然，這座雕像雖然名義上來自古埃及，其實是庫施王國的傑作。

約於古羅馬帝國時代前後，庫施王國日漸衰落，最終在西元三五〇年左右亡於興起於衣索比亞境內的阿克蘇姆王國（Kingdom of Aksum）。

阿克蘇姆王國於西元一世紀前後出現在今天的衣索比亞地區，並於西元四世紀左右達到極盛。領土包括今天的衣索比亞北部，南達索馬利亞，北抵埃及，還占了阿拉伯南部地區很大一部分，國力十分強盛，也是非洲第一個信奉基督教的國家。在軍事方面則擁有非常強大的海軍，還有武裝了大象的陸軍，就連當時的拜占庭帝國都主動與他們聯合。

阿克蘇姆王國控制了整個紅海地區，形成了阿杜利斯（Adulis）這樣繁榮的港口貿易城市，東西方之間的金銀、象牙、香料、鐵器、酒、棉布之類的大宗貨品，每天在這裡源源不斷交易著。今日在衣索比亞，我們還發現了大量阿克蘇姆王國時期的教堂和宮殿遺址，最有特色的是高聳入雲、高達三十三公尺的圓頂石碑，比十層樓還高，可見當時阿克蘇姆王國國力之強盛。

後來，阿拉伯帝國崛起，一步步擊垮了阿克蘇姆王國。然而，阿克蘇姆王國並不是非洲古文明的鼎盛階段，撒哈拉沙漠以南的非洲曾經出現過比阿克蘇姆王國更強大的文明，比如十三世紀上半葉興起的馬利帝國（Mali Empire）。

馬利帝國在國王曼薩．穆薩（Mansa Musa）統治時的國力來到頂峰，軍隊人數近十萬，國土範圍南起非洲熱帶雨林地區，北到撒哈拉沙漠，西抵大西洋沿岸，是當時世界上的大國之一。此外，馬利王國盛產黃金。西元一三二四年，身為穆斯林的穆薩國王決定前往麥加朝聖，一路上大肆揮霍黃金，每到一地，當地黃金價格就開始下跌，富裕程度可見一斑。

馬利帝國在十七世紀衰落，並由於後來歐洲殖民者和連年戰亂的破壞，遺留下來的文物極少。今天，只有在馬利國家博物館和丹麥的哥本哈根博物館裡，我們還能看到一些仿照十七世紀馬利帝國末期樣式製造的面具，這種面具名叫「契瓦拉」，意指「羚羊」，是過去撒哈拉以南的人們參加慶祝豐收或祈雨儀式時戴的。偌大的馬利帝國留下來的，只有這麼一點點痕跡。

縱觀非洲歷史，桑海帝國（Empire of Songhai）、貝寧帝國（Kingdom of Benin）、加奈姆－博爾努帝國（Kanem-Bornu Empire）都曾相繼崛起，這些帝國幅員之遼闊、人口之多、軍事之強、經濟之盛，遠遠超過了同時期的歐洲。當中世紀的歐洲人還蜷縮在陰暗仄小的小城堡、小鄉鎮時，這些非洲王國已經建造了規模宏大的宮殿和神廟，但對於他們的歷史，今天很多人都一無所知，由於缺乏史料，甚至連歷史學家也一知半解。換句話說，這些曾經燦爛的文明，被我們已有的歷史紀錄邊緣化了，好像從未發生過。

好在，這些邊緣化的文明近年正逐步回歸。比如二〇一八年上映了一部好萊塢電影《黑豹》，虛構了一個科技程度極高的非洲國家瓦干達，就有很多非洲歷史上各個帝國的影子。這部電影的意義因此非常重大，告訴我們世界歷史不光那麼幾個國家，「帝國」、「王朝」，也未必只能沿襲歐亞模式。

事實上，即便在歐洲和亞洲內部，仍然存在很多「擠在歷史夾縫裡」的失落文明，比如維查耶納伽爾王國（Vijayanagara Empire）。

維查耶納伽爾也譯為「毗奢耶那伽羅」，在十四到十七世紀時統治了整個印度半島南部，從西元一三三六年開始前前後後經歷了四個王朝，並於十五世紀中葉達到勢力頂峰，勢力範圍橫跨印度半島，囊括了德干高原南部。今天印度的卡納塔克邦、坦米爾納杜邦、喀拉拉邦、果阿邦、安得拉邦等，幾乎都是此一帝國的領土。

該國首都毗奢耶那伽羅城和帝國同名，意思是「勝利之城」，鼎盛時期容納了五十萬人口，來自各地不同宗教信仰的人在這裡從事香料和棉花貿易。本地人還和葡萄牙人有貿易往來，明朝的鄭和船隊也不止一次來過這裡。

十六世紀後半葉，毗奢耶那伽羅帝國被北方穆斯林國家聯盟擊敗，王國幾乎毀於一夜之間。今天如果前往印度南部卡納塔克邦的亨比村旅遊，還能看到毗奢耶那伽羅城的遺址，聯合國教科文組織也於一九八六年將此城遺址列入了「世界遺產名錄」。在這裡，我們能看到美輪美奐、令人嘆為觀止的精美寺廟群，其中最有名的衛塔拉寺廟「音樂柱」只要輕輕敲擊就會發出清脆的回聲，如此工藝水準，就連今天都很難做到。

說完亞洲，再說美洲。

前面介紹墨西哥國立人類學博物館時提及了阿茲特克帝國、瑪雅帝國、印加帝國，其實在這些帝國北方，還有一個很少被人提及的文明——卡霍基亞（Cahokia）。

卡霍基亞位於美國伊利諾州，是古代印第安先民創造的一座古代城市，同樣列名聯合國世界文化遺產。據推斷，西元一一〇〇年前後，這裡的人口有六千人到四萬人。意味著這片現今已經徹底成為遺址和廢墟的荒野，一千多年前曾經是北美洲最大的城市，一直要到十九世紀八〇年代，費城的人口才超過了它。

卡霍基亞遺址最引人注目的，無疑是碩大的僧侶土丘（Monk's Mound）。這個巨大的土製金字塔高三十公尺，長三百多公尺，寬二百多公尺——埃及第二大的卡夫拉金字塔（Pyramid of Khafre）邊長也不過二百多公尺——形制小一些的土丘在卡霍基亞則有一百多座。

遺址附近，考古學家還挖出了石器和陶器、精美的砂岩做成的裝飾品、大規模的墓葬、製銅的車間等。根據這些考古遺跡還原，距今一千多年前的卡霍基亞是個巨大土製金字塔林立、夾雜著住宅區的龐大原始城市。這些大土堆大部分都是神廟或獻祭的平臺。整座城市規劃整齊，建設精美，非常壯觀。

卡霍基亞在十三世紀前後開始衰落。有人認為是密西西比河的洪水和集中生活帶來的疾病，導致了人們的離去。很快地，卡霍基亞就消失在人類的歷史之中，沒有留下太多遺跡。

除了大陸上的文明，還有海洋上的文明。

幾乎在卡霍基亞古城消逝的同時，一個東南亞太平洋上的文明古國——滿者伯夷王國——正走向鼎盛。今日的旅遊勝地峇里島就有很多滿者伯夷王國遺存下來的古建築。

一提起東南亞，很多人往往有偏見，認為那裡的人特別「軟」。事實上，滿者伯夷王國曾經打敗蒙古人。

很多人都以為蒙古帝國當初在亞洲只有日本未能征服，其實除了日本，還有滿者伯夷王國。西元一二九二年，由一千多艘戰艦組成的元朝大軍在今天的爪哇登陸，迅速滅了當地的小國家後，緊接著將矛頭指向了滿者伯夷王國。

誰也沒想到，這個並不出眾的東南亞小國居然在國王的帶領下，一舉打退了元軍。這件事正史有記載，該國靠自己真正的軍事實力打贏了蒙古人。連蒙古人都被揍趴，滿者伯夷聲望大振，之後便統一了爪哇。

雖說和蒙古人交手贏了，但滿者伯夷人明白，強大的元朝並不好惹。得勝之後，他們主動和元朝交好，互通使者，穩定局面之餘，也形成一股勢力強大的滿者伯夷海上帝國。

勢力極盛時，滿者伯夷王國統治了今天整個「馬來世界」，包括馬來群島南部、加里曼丹島、蘇門答臘島、峇里島。經濟方面，他們不但有蘇木、白檀香、豆蔻等特產，還向過往的航船徵稅。

明朝建立之後，滿者伯夷與明朝往來密切，朝貢貿易做得有聲有色，今天的印尼東爪哇省就出土了大量的明朝瓷器。如果前往印尼東爪哇省首府泗水市旅遊，滿者伯夷博物館裡就展示了很多滿者伯夷時代的文物，良好保存著那個時代的痕跡。遺址顯示，滿者伯夷人不但修建神廟、寺院，也修建了相當有品質的運河與調節洪水的水利設施，規模之宏大，設計之科學，同樣遠在同時代的歐洲之上。

無論是撒哈拉以南的非洲也好，北美洲也好，東南亞也好——人類自步入文明以來，已經歷經了七、八千年時間。在這麼長的時間、這麼廣袤的地球上，我們當然不只創造了古埃及、古希臘、古羅馬等眾人熟知的少數幾個文明，更多元、更多彩的文明，大多數被我們埋沒了。

所幸，隨著全球化進程的推進，學者和專家已經開始逐步意識到這個問題，很多曾經失落的文明，正一個又一個被我們從歷史的縫隙中找了回來。許多非歐美國家學者的著作，也愈來愈獲得世人的重視。這樣一個時代，很需要把我們過去認為的那些所謂「歷史」都先打個問號，解放自己的想法與觀念，才能重新審視這顆地球上到底發生過什麼。

圖片版權聲明

以下頁面來自公有領域：
38 頁、40 頁、77 頁中、77 頁下、101 頁、133 頁、148 頁、166 頁、175 頁。

8 頁　由 Thomas Wolf, www.foto-tw.de, CC BY-SA 3.0 de, https://commons.wikimedia.org/w/index.php?curid=46672761

14 頁　由 Unknown (After Phidias' Athena Parthenos) - Marsyas, CC BY 2.5, https://commons.wikimedia.org/w/index.php?curid=470164

16 頁　由 Steve Swayne - File:O Partenon de Atenas.jpg, originally posted to Flickr as The Parthenon Athens, CC BY 2.0, https://commons.wikimedia.org/w/index.php?curid=17065839

21 頁　由 DieBuche, CC BY-SA 3.0, https://commons.wikimedia.org/w/index.php?curid=95150

26 頁　由 Unknown - Marsyas (2006), CC BY 2.5, https://commons.wikimedia.org/w/index.php?curid=470219

28 頁　由 No machine-readable author provided. Marsyas assumed (based on copyright claims). - No machine-readable source provided. Own work assumed (based on copyright claims)., CC BY 2.5, https://commons.wikimedia.org/w/index.php?curid=471486

33 頁　由 Original uploader was צ.רסא at he.wikipedia - Transfered from he.wikipedia, CC BY-SA 3.0, https://commons.wikimedia.org/w/index.php?curid=3313926

35 頁　由 Berthold Werner - Own work, Public Domain, https://commons.wikimedia.org/w/index.php?curid=5569232

37 頁　由 Unknown - User Superikonoskop, Public Domain, https://commons.wikimedia.org/w/index.php?curid=20670570

45 頁　由 Valérie75 - 自己的作品, CC BY-SA 3.0, https://commons.wikimedia.org/w/index.php?curid=3148511

46 頁　由 jhlau -- a.canvas.of.light - https://www.flickr.com/photos/jhlau/16368969531/, CC BY 2.0, https://commons.wikimedia.org/w/index.php?curid=78130056

49 頁　由 Drow male - Own work, CC BY-SA 4.0, https://commons.wikimedia.org/w/index.php?curid=4933219

52 頁　由 H. Raab (User:Vesta) - 自己的作品, CC BY-SA 3.0, https://commons.wikimedia.org/w/index.php?curid=8305343

53 頁　由 H. Zell - 自己的作品, CC BY-SA 3.0, https://commons.wikimedia.org/w/index.php?curid=11597542

54 頁　由 H. Raab (User: Vesta) - 自己的作品, CC BY-SA 3.0, https://

102頁上　由 © Raimond Spekking / CC BY-SA 4.0 (via Wikimedia Commons), CC BY-SA 4.0, https://commons.wikimedia.org/w/index.php?curid=12178

102頁下　由 dalbera - https://www.flickr.com/photos/dalbera/2735565030/, CC BY 2.0, https://commons.wikimedia.org/w/index.php?curid=4907942

104頁　由 Philip Pikart - Own work, CC BY-SA 3.0, https://commons.wikimedia.org/w/index.php?curid=8433730

108頁　由 Lestat (Jan Mehlich) - Own work, CC BY-SA 3.0, https://commons.wikimedia.org/w/index.php?curid=3099513

110頁　由 Thorsten Hartmann - Own work, CC BY-SA 3.0, https://commons.wikimedia.org/w/index.php?curid=7065932

111頁上　由 © José Luiz Bernardes Ribeiro, CC BY-SA 4.0, https://commons.wikimedia.org/w/index.php?curid=62912458

111頁下　由 Rictor Norton - https://www.flickr.com/photos/24065742@N00/151247206/, CC BY 2.0, https://commons.wikimedia.org/w/index.php?curid=1409322

114頁　由 ToucanWings — Travail personnel, CC BY-SA 3.0, https://commons.wikimedia.org/w/index.php?curid=28502565

118頁　由 Cquest — Travail personnel, CC BY-SA 3.0, https://commons.wikimedia.org/w/index.php?curid=16402331

123頁　由 Daderot — http://en.wikipedia.org/wiki/Image:Marie_Antoinette_amusement_at_Versailles.JPG, CC BY-SA 3.0, https://commons.wikimedia.org/w/index.php?curid=710462

124頁　由 lienyuan lee, CC BY 3.0, https://commons.wikimedia.org/w/index.php?curid=54491777

128頁　由 Photo: Myrabella / Wikimedia Commons, CC BY-SA 3.0, https://commons.wikimedia.org/w/index.php?curid=15781169

136頁　由 David Bjorgen - Own work, CC BY-SA 3.0, https://commons.wikimedia.org/w/index.php?curid=520074

139頁　由 The original uploader was Neutrality at English Wikipedia. - Transferred from en.wikipedia to Commons., CC BY-SA 3.0, https://commons.wikimedia.org/w/index.php?curid=2138823

140頁　由 en:lorax - Own work, CC BY-SA 3.0, https://commons.wikimedia.org/w/index.php?curid=663770

144頁　由 Difference engine - Own work, CC BY-SA 4.0, https://commons.wikimedia.org/w/index.php?curid=52313063

147頁　由Quadell - Self-published work by Quadell, CC BY-SA 3.0, https://commons.wikimedia.org/w/index.php?curid=247241

152頁　由 lorax - Own work, CC BY-SA 3.0, https://commons.wikimedia.org/w/index.php?curid=5044727

156頁　由 Jean-Christophe BENOIST - 自己的作品, CC BY 3.0, https://commons.wikimedia.org/w/index.php?curid=19322217

165頁　由 G.Lanting - Own work, CC BY 3.0, https://commons.wikimedia.org/w/index.php?curid=5112968

169頁　由 Photograph taken by User:MykReeve. - Own work,

CC BY-SA 3.0, https://commons.wikimedia.org/w/index.php?curid=54632

171頁 由Beek100 - Own work, CC BY-SA 3.0, https://commons.wikimedia.org/w/index.php?curid=7049256

181頁 由ignis - Own work, CC BY-SA 3.0, https://commons.wikimedia.org/w/index.php?curid=1236392

191頁 由Andrew Abbott, CC BY-SA 2.0, https://commons.wikimedia.org/w/index.php?curid=6481086 5

192頁 由Stinglehammer - Own work, CC BY-SA 3.0, https://commons.wikimedia.org/w/index.php?curid=64811227

ACROSS 049

超級導覽員趣說博物館2

作　者—河森堡
主　編—邱憶伶
責任編輯—陳詠瑜
行銷企畫—陳毓雯
封面設計—海流設計
內頁設計—張靜怡

董事長—趙政岷
出版者—時報文化出版企業股份有限公司
一〇八〇三臺北市和平西路三段二四〇號三樓
發行專線—（〇二）二三〇六—六八四二
讀者服務專線—〇八〇〇—二三一—七〇五
（〇二）二三〇四—七一〇三
讀者服務傳真—（〇二）二三〇四—六八五八
郵撥—一九三四四七二四時報文化出版公司
信箱—一〇八九九臺北華江橋郵局第九九號信箱
時報悅讀網—http://www.readingtimes.com.tw
電子郵件信箱—newstudy@readingtimes.com.tw
時報出版愛讀者粉絲團—https://www.facebook.com/readingtimes.2
法律顧問—理律法律事務所　陳長文律師、李念祖律師
印　刷—詠豐印刷有限公司
初版一刷—二〇二〇年二月十四日
定　價—新臺幣三八〇元
（缺頁或破損的書，請寄回更換）

時報文化出版公司成立於一九七五年，
一九九九年股票上櫃公開發行，二〇〇八年脫離中時集團非屬旺中，
以「尊重智慧與創意的文化事業」為信念。

超級導覽員趣說博物館２／河森堡著.
-- 初版. -- 臺北市：時報文化，2020.02
208 面；17×23 公分. --（ACROSS 系列；49）
ISBN 978-957-13-8084-1（平裝）

1. 博物館

069.8　　109000426

ISBN 978-957-13-8084-1
Printed in Taiwan